TASCABILI BOMPIANI 1474

Della stessa autrice presso Bompiani

EVA DORME
SANGUE GIUSTO

FRANCESCA MELANDRI

PIÙ ALTO DEL MARE

I GRANDI TASCABILI
BOMPIANI

Illustrazione di copertina di Nicola Magrin
Published by arrangement with
The Italian Literary Agency

ISBN 978-88-301-0541-6

www.giunti.it
www.bompiani.it

Via Bolognese 165 – 50139 Firenze – Italia
Via G.B. Pirelli 30 – 20124 Milano – Italia

Prima edizione Giunti Editore S.p.A.: giugno 2022

Alla zia Maria Teresa
grande maestra dell'amore gratis

[…] Tutti i dirigenti sindacali lo ripetono,
il terrorismo è l'alleato oggettivamente più
subdolo del padronato, se esso non viene
battuto può ricacciare indietro di decenni
la forza del movimento operaio.
Da un articolo sul "Corriere della Sera"
di Walter Tobagi, ucciso il 28 maggio 1980
dalla Brigata XXVIII marzo

There's no empathy in Utopia.
Jeremy Rifkin

θάλασσα κλύζει πάντα τἀνθρώπων κακά
(Il mare lava tutti i mali dell'uomo)
Euripide, *Ifigenia in Tauride* 1193

UN ANNO PRIMA

L'aria speziata no, quella non se l'aspettavano.

Che sarebbero venuti di notte l'avevano sempre immaginato e infatti li prelevarono dalle carceri di tutta Italia che il cielo era nero come una carie. Arrivarono con i Chinook, ta-tà ta-tà ta-tà neanche venissero dritti dal Vietnam, non da Praia a Mare o Viterbo. C'erano i militari che urlavano e anche certi tipi biondi e tosati, muti come macigni, che controllavano lo svolgimento dell'azione. Americani, si seppe in seguito. E anche di quello, loro, non si stupirono.

La paura di morire c'era, eppure tutti entrando nella pancia dell'elicottero avevano alzato lo sguardo al cielo. Era buio di luna nuova. Anche a quello avevano badato nel pianificare l'operazione: che non ci fosse mare chiaro a rivelare, dall'alto, i contorni della costa. Però neanche gli agenti segreti dell'imperialismo e del capitale erano riusciti a spegnere le stelle che quindi erano lì, pulsanti e precise. C'era tra loro chi non le vedeva da mesi, altri da anni. Chissà quando e se mai le avrebbero viste ancora.

Erano decollati da un po', quando un soldato in mimetica si rivolse loro con fare gioviale: "Ora apriamo il portellone e v'insegniamo a volare." Come volesse dare ragione ai molti che in quegli anni dicevano: l'Italia ormai è Sud America. Ma poi non buttarono giù nessuno.

All'arrivo, nei pochi metri di strada tra gli elicotteri e l'edificio bianco del carcere di massima sicurezza, li presero a calci e bastonate per non dargli il tempo di capire dov'erano sbarcati. Ma anche di questo loro un'idea ce l'avevano già. Da settimane il telefono senza fili delle prigioni segnalava un andirivieni di operai in quell'edificio basso in fondo all'Isola, lontano dai carceretti dei detenuti comuni, dagli uffici amministrativi, dall'imbarcadero, dal paese con abitazioni delle guardie, scuola e chiesa, perfino dal faro remoto sul suo scoglio – insomma lontano da Dio, dagli uomini e da tutto. Inoltre era già un po' che a certi parlamentari, quelli che da mesi dormivano ogni notte in un posto diverso con soldi e passaporto sempre pronti sul comodino, era arrivata la soffiata: in caso di golpe militare sarebbe avvenuta proprio qui la deportazione, anzi, il concentramento dei principali oppositori.

Li ammassarono in uno stanzone. Dapprima non ricevettero nulla da mangiare, solo un po' d'acqua. Al terzo giorno avevano tutti dolori al ventre, membra infiacchite, testa pesante, ma capivano che essere ancora vivi dopo tre notti lì era una cosa buona. Una cosa che prima del trasferimento, anzi, della “traduzione”, non avrebbero potuto dare per scontata. Il quarto giorno furono nutriti. Qualcuno, molto invidiato, riprese ad andar di corpo. La puzza cominciò a togliere il fiato ma si consolarono pensando che le zaffate colpivano anche le guardie, quando li controllavano dall’unico spioncino. Dopo una settimana li portarono a fare la doccia. L’acqua era fredda e a singhiozzo ma provocò in loro una gioia totale. Furono distribuiti numeri, divise, celle. Cominciò la vita quotidiana nel nuovo carcere a regime speciale. Tutto, insomma, andò più o meno come se l’erano aspettato.

Il profumo no, però. Quello non l’aveva messo in conto neanche il più lungimirante dei capicolonna, il più esperto degli ergastolani. Mentre sbarcavano dai Chinook tra urla e calci, l’Isola li investì in pieno con il suo aroma. I cuori saltarono un battito, come al ricordo di un grande amore perduto. I corpi immiseriti dalla galera si riempirono di desiderio. Molti restarono fermi accanto all’elicottero, immobili, a prendersi pugni e bastonate pur di respirare l’Isola ancora e ancora.

Sapeva di salmastro, di fico, d’elicriso.

VISITE

L'Isola non era in alto mare ma era come se lo fosse. Dalla terraferma, che poi non lo era neanche bensì una delle isole maggiori, la separava solo lo Stretto, che sembrava facile da attraversare a nuoto. I venti spazzavano via ogni vapore, fumo e impurità dall'aria, perfino gli sbuffi nerastri dello stabilimento petrolchimico. E così l'Isola appariva vicinissima, quasi da toccare – ma era un'illusione. Ciò che donava questa nettezza al suo profilo era il respiro forte del Mediterraneo che da lì rimaneva spalancato e vuoto fino a Gibilterra. Lo Stretto era percorso da correnti che, in realtà, avrebbero impedito la traversata anche al più vigoroso dei nuotatori.

Neanche le imbarcazioni potevano solcare facilmente quel braccio di mare color foglie di vite spruzzate di verderame. Era punteggiato di scogli sottomarini che, a passarci sopra mentre si era nell'incavo di un'onda, avrebbero potuto grattare la chiglia a tradimento. E dei banchi di sabbia sul fondo era impossibile sapere, se non con lo scandaglio, dove li avesse spinti l'ultima libecciata. Per arrivare dal porto industriale all'Isola bisognava quindi puntare la prua in direzione opposta, verso il largo. Solo dopo parecchie miglia si poteva ruotare il timone verso le due alture a gobba di cammello. E a quel punto la raffineria, con le ciminiere bianche e rosse come colossali stecche di zucchero candito, non si vedeva quasi più.

L'Isola non era in alto mare, ma era come se lo fosse. Proprio come me, pensò Paolo. E gli parve di sentire Emilia: *Smettila di trovare simboli in ogni cosa. Le cose sono ciò che sono, e basta.* La voce cocciuta e serena di quand'era ragazza, di quando giovane sposa gli prendeva la testa tra le mani e se l'appoggiava al seno. Di quando il dolore ancora non l'aveva spezzata e gliel'aveva portata via.

Paolo si sporse dal parapetto. Guardò la spuma bianca creata dall'incontro del ferro grigio con il blu notte dell'acqua. La scia della motonave si apriva a V su una superficie quasi oleosa. Quando erano ancora al molo, dopo essere sbarcati dal traghetto e prima d'imbarcarsi su questa motonave, Paolo aveva sentito dire a un uomo sulla trentina che una calma piatta così non prometteva niente di buono. Aveva la divisa grigioverde da agente di custodia ma tratti del viso fini, da seminarista o attore. Mano alla fondina, controllava il ritiro della passerella come per sincerarsi che nessuno salisse di straforo. Paolo s'era chiesto chi avrebbe mai voluto imbarcarsi di nascosto *verso* l'Isola.

I complici di un'evasione.

"Stanotte c'era l'alone intorno alla luna."

La guardia dal viso delicato parlava a un marinaio che tirava a bordo l'ultima cima dalla banchina. Questi aveva succhiato l'aria tra i denti, come per minimizzare paure altrui. In un dialetto, o forse una lingua di cui Paolo capiva qualcosa e il resto lo doveva indovinare, l'aveva informato che il comandante di sicuro avrebbe riportato la motonave indietro per tempo. Suo figlio arrivava oggi dall'America, figuriamoci se si sarebbe lasciato bloccare sull'Isola dal fortunale.

Adesso Paolo guardava il mare. Per un momento dimenticò chi fosse, dove stesse andando e soprattutto perché. Lo sguardo riposò sull'acqua che lo attorniava. Era piatta come prima ma, ora che davanti al sole s'era addensato un velo, più cupa.

Liscia come una stoffa preziosa, una seta.

Il paragone riportò Paolo a se stesso – questo fanno i pensieri – e quel breve momento di oblio benedetto cessò. Alzò lo sguardo. Non era un traghetto pubblico, quello. All'Isola l'accesso era negato a chi non avesse un valido motivo. Che poi era uno solo.

Ogni volta che gli tornava la coscienza di sé, gli premeva sul petto come una pietra tombale. Paolo espirò forte, la bocca aperta, quasi dovesse liberarsi di un gran peso. Da quanti anni gli scappavano questi sospiri incontrollati, rumorosi, non ancora gemiti ma qualcosa più che fiati? Anche mentre era in mezzo alla gente, davanti ai banchi del mercato, in fila alla posta, a pranzo da sua sorella. Non era difficile la risposta: tre anni, sei mesi e qualche giorno.

Una donna africana sedeva su una panca di ferro bianco arrugginito sul ponte di prua. Guardava fisso davanti a sé, il profilo come intagliato. I suoi abiti parevano estratti a casaccio da uno scatolone, forse nel magazzino di un'associazione di beneficienza. Eppure, anche sotto il cappotto informe, troppo pesante per il clima ancora mite, tenuto chiuso da dita lunghissime con perfette unghie rosa, era una vera bellezza. Chissà se lo sapeva.

La maggioranza degli altri passeggeri erano donne, pochi gli uomini. Erano quasi tutti sotto coperta, nel grande salone della motonave arredato con scomode panche di legno. Ognuno di loro aveva con sé un pacco, avvolto nel cartone o nella tela di juta o in grandi buste di plastica, comunque non una valigia. Qualcosa che non sarebbe tornato indietro, da lì dov'erano diretti.

Sul ponte c'erano solo l'africana, Paolo e una bionda che gli sembrava di avere già visto. Poteva avere trent'anni o cinquanta. Era una di quelle donne che danno l'idea di essere state già capaci a dodici anni di badare ai fratellini, cucinare la minestra, stirare, e che a venti hanno la placida efficienza della mezz'età. Non che fosse pesante o grossa, anzi, aveva il corpo tonico e muscoloso di chi lo usa molto. Forse da giovane era stata un'atleta? Quello che indossava pareva il suo vestito migliore, seppure stropicciato da un viaggio probabilmente già lungo prima di solcare quest'ultimo braccio di mare. Paolo ricordò dove l'aveva incontrata: la sera prima, all'imbarco del traghetto che li aveva portati fino all'isola maggiore. Dopo non l'aveva più vista. Del resto, lui era entrato nella sua cabina e non ne era uscito fino all'attracco all'alba, nel porto vicino alla raffineria.

Ora la donna era in piedi a prua, le mani sulla ringhiera, la bocca un po' aperta. Non distoglieva gli occhi dal mare, sgranandoli in modo quasi infantile.

Paolo ne fu sicuro: *Prima di ieri non ha mai visto il mare.*

***

Le panche sul ponte a prua della motonave erano sei, tre per parte.

Ogni ringhiera aveva sette pilastrini di ferro, che reggevano due tubi orizzontali più un corrimano.

Le celle per il trasporto dei detenuti – otto – erano nel ponte inferiore, invisibile a Luisa che quindi, ignorandone l'esistenza, non le contò.

Le cose non stavano andando male, Luisa se lo diceva spesso. O almeno, sarebbero potute andare molto peggio. Ne aveva sentite di storie. Come quella della disgraziata cui l'amministrazione carceraria aveva negato la visita sostenendo che per il trimestre le aveva già esaurite: ed era così che aveva scoperto che il marito, con le autorità, faceva passare per moglie un'altra mentre lei, quella vera, tirava su da sola i suoi cinque bambini. O come una donna a Voghera, seduta proprio accanto a Luisa al lungo tavolo del parlatorio, che aveva fatto ai ferri un paio di scarpe da casa per il marito e lui gliele aveva scagliate in faccia urlando: "Non ho bisogno di pantofole, ho bisogno di uscire!"

Ne succedevano, durante le visite in carcere. Le mogli dei detenuti piangevano molto al ritorno, assai più che all'andata, e certo non solo per la nostalgia. A Luisa però brutte cose così non erano mai capitate, in tutti questi anni (nove e dieci mesi) e se lo ripeteva: *Sono fortunata.* Il marito accoglieva i suoi pacchi con un cenno del capo e spesso diceva perfino grazie.

A volte Luisa, al di là del tavolo dei parlatori, gli aveva addirittura rivisto la faccia di cui si era innamorata quando l'aveva invitata a ballare la prima volta. Era scomparsa ben presto dopo il matrimonio, quella faccia; gli era tornata solo dopo anni, mentre lei andava a trovarlo con uno dei bambini.

Era appena stato condannato in via definitiva quando Irene, la penultima figlia, di ritorno dal primo giorno di scuola dichiarò di aver capito una cosa: il padre era morto. La maestra gliel'aveva detto: "Tuo papà non c'è più."

Da allora Luisa ogni volta che poteva aveva cercato di portare con sé i bambini alle visite. Tutti e cinque insieme non era possibile, ma almeno uno o due, a turno. Non era ancora successo il fatto brutto di Volterra e il marito non era ancora in un carcere speciale di quelli con il vetro e il citofono, e poteva addirittura tenerseli in grembo, i figli.

La presenza di ragazzini nel parlatorio rendeva le persone più gentili, meno amare. Anche gli altri detenuti e visitatori, perfino le guardie: tutti ogni tanto sorridevano, se c'era un solo bambino in braccio a suo padre. Una volta un compagno di cella del marito aveva insegnato al loro figlio minore, Luca, a costruire piccoli boomerang di carta. Quell'uomo imponente, dalle mani come assi da stiro, gli aveva mostrato come lanciarli in aria con una schicchera delicata. Le piccole virgole di carta volavano attraverso lo stanzone ruotando come pale di elicottero, alte sulle teste raggruppate dalle conversazioni, davanti alle finestre con le sbarre, sopra i tavolacci di legno, per poi ritornare come cani dal padrone.

Luca aveva cinque anni. Per giorni, tornato a casa, non parlò d'altro che dei boomerang e del loro costruttore. Alla visita successiva pretese di andare ancora lui con Luisa, sebbene fosse il turno di Ciriano, e passò di nuovo tutto il colloquio a lanciare pezzetti di carta insieme a quel detenuto. Il padre non intervenne nel gioco, rimase a guardarselo in silenzio, le labbra distese in un accenno di sorriso, le pupille dilatate come a farsi entrare negli occhi il più possibile l'immagine del suo bambino. Luisa riconobbe lo sguardo che le aveva rivolto durante quel ballo iniziale, prima del matrimonio, prima che lei cominciasse a sbattere la faccia sugli spigoli della credenza, prima di tutto.

Quando stava per andarsene con Luca, il detenuto si rivolse a lei: "Tranquilla. Io ai figli degli amici non gli farei mai male."

Cos'avesse voluto dire, Luisa non lo capì. Lo chiese più tardi a suo marito, che le spiegò: quell'uomo era stato condannato per aver fatto cosacce con i ragazzini. Qui nel parlatorio, però, nessuno gli aveva mai visto fare nulla di poco bello, anzi, tutti i bambini in visita chiedevano sempre di lui.

Dopo i fatti di Volterra e la seconda condanna il marito di Luisa era stato in carceri troppo lontane e difficili per portarci i figli. E quella faccia – assorta, serena, intenerita, aperta – lei non gliela aveva rivista più.

Ora erano quasi ventiquattro ore che viaggiava, ma non era stanca. In traghetto aveva dormito sulla poltrona nel salone, la testa appoggiata al pacco per il marito che teneva sulle gambe. Prima di partire s'era svegliata alle due di notte per mungere le mucche; voleva risparmiare ai tre grandi un po' di lavoro, così che i due piccoli andassero a scuola senza problemi. Ecco un'altra cosa in cui era fortunata: i figli erano cresciuti. Non erano più bimbetti come all'inizio, quando Anna, la maggiore, aveva solo undici anni, Luca due e gli altri tre in mezzo. Adesso il piccolo di casa aveva l'età che allora aveva la più grande, che ora a sua volta ne aveva venti. Venti! Due anni più di Luisa quando s'era sposata…

Eccola, di nuovo a fare calcoli. Contare, sempre contare. Era più forte di lei. Contava in ogni momento, soprattutto prima di dormire. Contava i litri di latte consegnati il mattino alla Centrale; le settimane che mancavano al parto di una mucca; l'età che aveva ognuno dei figli la notte che i carabinieri avevano portato via il padre. Contava i numeri sul contatore per capire dove si potesse risparmiare, anche se i bambini lo sapevano che la luce non si deve accendere finché quasi si va a sbattere nei muri, tanto fa buio. Contava le rate della lavatrice e ricontava i soldi da incassare. Come quella volta che un macellaio le stava comprando un vitello e lei si accorse subito che le aveva dato meno banconote del dovuto. E sapeva anche perché: la gente pensa che una donna senza marito sia più facile da imbrogliare. Ma lei aveva contato, ricontato, poi calma e gelida gli aveva chiesto quanto mancava, o il vitello sul suo camion non ce l'avrebbe caricato. L'uomo aveva finto che fosse un errore, di avere sbagliato l'addizione. Figuriamoci. Certo non l'avrebbe fatto se avesse saputo che Luisa contava anche le stecche di legno delle panchine sul sagrato (otto) e i passi tra la porta di casa e il fienile (ventisei).

Ogni tanto, in mezzo alla notte, tutti questi numeri le affollavano la testa e non la lasciavano dormire. Per scacciarli, Luisa s'immaginava il respiro caldo delle mucche, le loro mammelle bianche di velluto, l'odore di caglio, sterco, fieno e legno che l'avrebbe accolta nella stalla. E si diceva che tra poco avrebbe potuto alzarsi, infilare grembiule e stivali di gomma e finalmente andare a mungere. Gli occhi sbarrati nell'oscurità, aspettava quell'ora con impazienza, come si attende l'appuntamento con l'amato.

Solo una cosa Luisa non contava mai: gli anni di carcere che mancavano al marito. Anche perché l'avvocato glielo aveva detto che il numero spaventoso pronunciato dal giudice a Firenze, e confermato poi in appello, non significava un granché. Già si era visto, con quello che suo marito aveva combinato nel carcere di Volterra, che quello era un numero scivoloso come un pendio bagnato: in un momento potevano aggiungersi anni, decenni, vite intere. No, contare la durata della sentenza sarebbe stata solo una perdita di tempo. E Luisa tempo da perdere proprio non ne aveva.

Neanche adesso che i figli erano cresciuti. Perfino Luca ora dava una mano, era lui che raccoglieva le uova dal pollaio e dava l'erba ai conigli. E i due più grandi,

Anna e Ciriano, ormai sapevano mandare avanti casa e stalla da soli, se necessario.

Sì, Luisa era fortunata e se lo diceva. Spesso. Cinque bei figli cresciuti bene, bravi ragazzi abituati a darsi da fare. In paese c'erano donne con il marito a casa che la invidiavano per questo. Il giorno che Ciriano aveva preso la patente del trattore, aveva pianto di gioia. Da quasi dieci anni aveva dovuto guidarlo lei, quell'affare rumoroso e puzzolente di nafta. Quando ci stavi sopra non c'era altro che mettersi a contare: i solchi già arati, quelli da tracciare ancora, i metri che mancavano alla prossima girata. Dopo un giorno intero passato su e giù per il campo, su e giù, su e giù, come un criceto in gabbia, Luisa scendeva con la schiena pesta per le vibrazioni, la testa svuotata da frastuono e noia, la faccia nera per i gas di scarico che il vento le aveva soffiato addosso. E la cena ancora da cucinare, il bucato da ritirare, i vestiti da rammendare. Quella era l'ora in cui sentiva la mancanza del suo uomo. Più che a pranzo con la tavola imbandita cui mancava un piatto, più che la notte nel letto che così vuoto – ma questo non l'avrebbe detto mai, mai a nessuno – era anzi un sollievo. Era sul trattore che a Luisa mancava un marito. Per questo, quando suo figlio Ciriano aveva preso la patente, aveva pianto di felicità.

All'amministrazione carceraria aveva richiesto la visita di martedì: sapere che in sua assenza i bambini erano a scuola le avrebbe dato meno pensieri. Ieri era lunedì e ad Anna aveva promesso che sarebbe stata di ritorno a casa per mercoledì sera.

Il sabato prima l'aveva passato a cucinare. L'avevano aiutata i due piccoli, Irene e Luca, avevano preparato insieme i ravioli ripieni. Ne aveva fatti in abbondanza, così suo marito avrebbe potuto darne anche agli altri detenuti. Non era mai stato facile per lui stringere legami, neanche da giovane, neanche da libero, ora poi. Poter condividere le pietanze da casa con i compagni di cella magari lo avrebbe aiutato.

Centocinquantatré. Avevano disposto i ravioli belli larghi sul tavolo della cucina ad asciugare. Dopo qualche ora Luisa li aveva messi uno a uno in una scatola di cartone, spolverandoli di farina di semola e separando gli strati con la carta paraffinata per non farli attaccare. Luca li aveva guardati tristemente sparire dentro la scatola mentre lei la richiudeva con un gesto secco.

"Non è giusto" aveva detto Irene.

Luisa aveva alzato lo sguardo. Era la figlia che più le dava pensieri, sempre a chiacchierare con le amiche e ben poco interessata alla licenza media che avrebbe dovuto prendere quest'anno. Aveva i capelli scuri del padre e occhi come alla ricerca di qualcosa. In casa aiutava ma soltanto se glielo ordinavi, mentre Anna e Maddalena lo capivano da sole, quel che c'era da fare.

"Lo sai che sono per tuo padre" aveva risposto Luisa.

"Beato lui." E Irene era uscita dalla cucina con la malagrazia impeccabile dei suoi quattordici anni.

Luisa era rimasta con la scatola in mano, lo schiaffo non dato che le formicolava sulla punta delle dita.

Il giorno precedente, dopo aver munto le mucche prima dell'alba, aveva preparato la colazione per tutti e caricato la lavatrice (rate ancora da pagare: diciannove). Il pacco per il marito in carcere l'aveva già chiuso la sera prima, come anche la borsa con le poche cose necessarie al viaggio. Era uscita da casa che il cielo era ancora nero e nessun gallo cantava, neppure quello impaziente dei vicini che annunciava l'alba sempre almeno un'ora prima. Aveva spinto al bordo della strada il bidone di metallo con il latte ancora caldo, pronto per la raccolta mattutina dell'autobotte della Centrale. Poi, pacco in braccio e borsa a tracolla, si era avviata a piedi verso la piazza del paese dove, alle 5.03 dei giorni feriali, passava la corriera per il capoluogo. Da lì avrebbe preso il primo di molti treni, come tante altre volte. Per seguire i processi prima, e per le visite poi, Luisa era stata in città che aveva studiato in geografia alle elementari (Firenze, Milano) e in altre di cui fino ad allora non aveva mai neanche sentito il nome (Fossombrone, Voghera). Questa volta però doveva andare ancora più lontano.

Avevano messo suo marito in carcere di tipo diverso. Speciale. Ne avevano istituiti più di uno perché in Italia, si diceva, c'era una specie di guerra civile e i detenuti politici erano considerati prigionieri nemici. Luisa non lo sapeva, ma la stessa motonave su cui ora si trovava portava il nome di una vittima di questo conflitto armato: una guardia uccisa durante la rivolta in un penitenziario qualche anno addietro. Da quando poi, l'anno scorso, era stato rapito e ucciso un politico importante, la vita dentro queste prigioni era diventata ancora più dura.

Suo marito non c'entrava niente con questa guerra che riempiva le prime pagine dei giornali, ma anche lui aveva ammazzato un agente carcerario. A pugni e calci. Quando i colleghi glielo tolsero di sotto, fecero fatica a credere che a mani nude, e in talmente poco tempo, si potesse ridurre così un uomo.

La guardia morì tre giorni dopo. Per questo il marito di Luisa l'avevano messo su un'isola. Perché se vuoi tenere qualcuno veramente separato dal resto del mondo, non c'è muro più alto del mare.

Così Luisa, oltre all'ansia, all'incertezza, al miscuglio di emozioni con cui sempre si apprestava a intraprendere i lunghi viaggi che la portavano di fronte al marito – emozioni che stava attenta a non notare troppo – alla partenza aveva provato una sensazione nuova, che non avrebbe potuto confessare. Un eccitamento, un'anticipazione.

Lei il mare non l'aveva mai visto prima.

***

La notte precedente la luna aveva l'alone. L'agente carcerario Nitti Pierfrancesco l'aveva osservato quando, come tutte le sere se non era di primo ruolo, dopo aver cenato e messo a nanna i bambini, era andato a fare due passi sulla battigia con la moglie. Anzi, era lei che gliel'aveva fatto notare; lui, per abitudine, quando camminavano lungo la spiaggia che come una virgola bianca accompagnava la linea della baia, più che il cielo guardava le luci sulla costa lontana.

Quanto le aveva fissate, quelle luci, da giovane agente scapolo di neanche vent'anni, mandato in un'isola di cui fino a quel momento a malapena conosceva l'esistenza. Ora a pensarci gli veniva da ridere: a quei tempi gli mancavano così tanto la vita della terraferma, le ragazze, i giri in auto con i colleghi dopo il servizio, i bar, insomma la giovinezza che nonostante la divisa si sentiva dentro, che quando guardava le luminarie lontane sulla costa pensava fossero quelle di una discoteca. Si sedeva sulla spiaggia, scintillante come neve, le luci del carceretto cui era stato assegnato nascoste dietro il promontorio, e si struggeva di nostalgia per quelle promesse luminose. Anche i suoni attorno a lui gli davano sgomento. La risacca del mare, il richiamo del gufo, il grugnito del cinghiale nella macchia: lo avviliva, tutta questa natura. Così, certe sere si convinceva che dalla costa la brezza gli portava l'eco di una musica vivace. In quei momenti la malinconia si faceva dolore e Pierfrancesco piangeva.

Solo dopo qualche settimana che abitava sull'Isola, alla prima licenza, tornando verso la terraferma con la motonave, capì: quei fari che gli avevano provocato tanto desiderio non erano una discoteca, bensì la raffineria.

A sua moglie questo non l'aveva mai raccontato. Maria Caterina, fin dalla prima sera in cui era sbarcata sull'Isola da novella sposa, aveva ricostruito con infallibile senso dell'orientamento che quelle luci erano lo stabilimento petrolchimico del porto da cui si partiva con la motonave. Quei pianti solitari sulla spiaggia fatti anni prima Pierfrancesco non glieli raccontò. In seguito ce ne furono altri, di segreti, e non così innocenti. Ma quello fu il primo. Chi vuole passare per fesso con la propria giovane sposa?

E anche la sera prima, era stata sua moglie a fargli notare la luna.

Quand'erano usciti, Maria Caterina si era ripromessa di fargli la sua domanda. Non era una domanda complicata, né lunga, né difficile da capire.

Che ti succede?

Solo questo voleva chiedere a Nitti Pierfrancesco, agente di custodia, suo marito.

Erano mesi che non ci riusciva. E ogni volta che ce l'aveva sulla bocca ma non la diceva, quella domanda si faceva un po' più dura, un po' più pesante, le premeva un po' di più sullo sterno. Anche adesso, quella luce malata le aveva fiaccato la determinazione. Invece di chiedere aveva puntato il dito verso il cielo e aveva detto: "Guarda."

L'ovale storto dei tre quarti era attorniato da un alone lattiginoso, che s'irradiava nella notte con riflessi quasi di arcobaleno. La spiaggia, che bianca com'era splendeva sempre, anche quando era luna nuova, ora era opalescente.

Avevano taciuto entrambi, d'istinto cercandosi la mano. La passeggiata era stata più breve del solito. Non se lo dissero, ma tutte due avevano provato sollievo quando un tetto costruito dalla mano dell'uomo s'era frapposto di nuovo tra loro e quel cielo strano.

***

Il detenuto era un uomo di mezz'età, scuro, non alto. Sembrava l'avessero schizzato fuori da un tubetto di dentifricio: aveva il corpo esile in basso e poi via via sempre più largo fino alle spalle, la circonferenza degli avambracci quasi come quella delle cosce. Era seduto sulla panca di ferro inchiodata al pavimento, i gomiti appoggiati alle ginocchia, la testa tra le mani.

Non tenere così giù la testa, non c'è niente di peggio per il mal di mare, questo voleva dirgli l'agente Nitti. Ma rimase zitto.

L'uomo si fissava i piedi, voglia di parlare non ne mostrava.

Probabilmente era colpevole di stupro, forse su un bambino. Le guardie carcerarie in genere non conoscevano i reati commessi dai nuovi arrivati, se non nel caso di imputati in processi famosi. Nitti sapeva però che, dopo averlo accompagnato alla Diramazione Centrale per le procedure dei nuovi arrivi, avrebbe dovuto scortarlo al carceretto a metà dell'Isola dov'erano chiusi pedofili e violentatori. Erano gli unici che non si potevano mescolare con il resto dei detenuti. Anche nel lavoro in esterni, nei campi o nelle vigne, era importante tenerli a distanza di sicurezza dagli altri. Non sarebbero durati molto, altrimenti.

Ora Nitti, da quando il nuovo direttore aveva rivoluzionato l'Isola, lavorava a turno in tutte le diramazioni, quindi anche, ogni sei settimane, nello Speciale. Ma quando era arrivato fresco di CAR, dieci anni prima, era proprio a quel carceretto che l'avevano assegnato. Il direttore di allora, puntandogli gli occhi addosso, gli aveva detto: "Faccia d'angelo, i tuoi superiori mi hanno parlato bene di te. Non voglio darti guai. Ti metto con i pedofili e gli stupratori."

Lui aveva pensato a una crudele presa in giro. E invece era proprio così: la diramazione dei colpevoli di delitti sessuali non era male, anzi, era una delle più facili da gestire.

Nessuno di quei detenuti apparteneva a organizzazioni, bande, criminalità organizzata, fazioni di lotta politica armata. Erano uomini profondamente soli, spezzati, inermi di fronte all'istituzione carceraria. Mica come i terroristi, rossi e neri. Quelli facevano gruppo compatto, e quando avevi a che fare con uno di loro intanto dovevi guardarti anche dai suoi compagni, gente magari corretta e perfino istruita ma che di te vedeva soltanto la divisa. Anzi, come dicevano loro: lo Stato. E di questo benedetto Stato volevano una sola cosa, la distruzione, quindi la tua.

Né gli stupratori erano pericolosi e violenti come i criminali di professione. Questi erano imbrigliati tra loro in una rete di faide, vendette e rivalità di cui tu da fuori non capivi né sapevi niente. Finché un giorno, durante l'ora in cortile, ti distraevano con un pretesto e neanche facevi in tempo ad accorgerti che tirava aria di *disgusto* che già avevano accoltellato qualcuno. Che poi quello, se sopravviveva e gli chiedevi "chi è stato?", non te l'avrebbe detto neanche sotto tortura.

E i pedofili non erano manipolatori e bugiardi come i tossici e gli spacciatori, sempre lì che cercavano di tirarti dalla loro parte. Cominciavano chiedendoti una sigaretta, poi un favore da nulla, poi uno più grande, finché ti ritrovavi impiastricciato in una colla vischiosa di ricatto, pietà e disprezzo che ti faceva abbassare la guardia. E allora quelli ti facevano entrare la roba in carcere sotto al naso.

Quel direttore gliel'aveva fatto davvero, il favore: i pedofili e gli stupratori erano i detenuti che davano meno problemi.

Delle celle di sicurezza dentro la pancia della motonave solo questa era occupata. Quando c'era il mare mosso, laggiù, con il fracasso dei motori e il pavimento che ti mancava sotto i piedi, a Nitti veniva un gran voltastomaco. Ma il peggio era quando stavano male i detenuti. Pulire uomini in manette che si sono vomitati addosso non è una bella cosa. Fortuna quindi che oggi non si ballava. Per ora almeno, perché quel cielo biancastro di ieri sera non lasciava presagire niente di buono. Avrebbero dovuto fare in fretta, non perdere tempo, e radunare tutti all'imbarcadero dell'Isola appena possibile per permettere alla motonave di ripartire entro l'ora di pranzo. Poi, già si capiva, il meteo avrebbe tirato al brutto.

La settimana precedente c'era stato un ponte lavorativo ed erano arrivati tanti visitatori; questa era molto più tranquilla. Oggi la maggior parte dei passeggeri della motonave era composta da personale del carcere, membri delle loro famiglie, addetti della stazione sanitaria. I visitatori erano pochi, meno di una ventina. Con le previsioni del tempo che annunciavano tempesta, chi poteva aveva rimandato. C'era da augurarsi che non ci fosse nessun parente dello Speciale.

Normalmente i detenuti venivano tradotti per i colloqui dai rispettivi carceretti fino alla Diramazione Centrale, vicino all'imbarcadero. Quelli di massima sicurezza, però, non potevano uscire: erano i parenti a dover arrivare giù da loro, in fondo all'Isola, al capo opposto rispetto all'attracco della motonave. Era l'unica diramazione che nessuno si sarebbe sognato di chiamare "carceretto", un termine infantile, quasi affettuoso, nulla a che fare con il regime duro che vigeva lì. Comunque, il marinaio con cui Nitti aveva parlato era sicuro che il comandante ce l'avrebbe fatta a riportare indietro in tempo la motonave prima che s'alzasse il maestrale. Contento lui contenti tutti, a Pierfrancesco non importava. Lui, una volta sull'Isola, era a casa.

Casa. Quell'Isola che, quando ci era arrivato da giovane, gli era sembrata una prigione a cielo aperto. Ma non per i condannati, per sé. Ora, invece, gli era impossibile immaginare il giorno, ancora lontano ma inevitabile, in cui sarebbe andato in pensione e l'avrebbe dovuta lasciare. Come i detenuti sconsegnati: quando arrivava la fine della pena, dopo anni passati a badare alle pecore, coltivare i campi e potare le vigne, c'era chi scoppiava a piangere e implorava il direttore di non cacciarlo via. Pierfrancesco ricordava quel sessantenne barbaricino che dopo più di un quarto di secolo sull'Isola era dovuto tornare al suo paese. Una faida secolare e assassina, cui egli aveva dato un sostanzioso contributo, l'aveva quasi spopolato. La mattina prima di salire sulla motonave, l'uomo andò all'ovile e singhiozzando baciò le pecore cui aveva badato per anni, una a una.

***

Luisa, appoggiata alla ringhiera della motonave, respirava.

L'odore del mare l'aveva già sentito quando aveva preso il traghetto, ma lì era ancora misto all'aria greve da città industriale, alle esalazioni di nafta del porto, soprattutto al fiato di un continente intero alle spalle. Era quasi il tramonto quando s'era imbarcata, e pensava di uscire sul ponte quando fossero stati al largo. Essere in alto mare, in piena notte! Non vedeva l'ora. Ma la stanchezza – tre treni, un autobus, la sveglia a notte fonda – aveva prevalso: poco dopo essersi seduta sulla poltrona nel salone in coperta, s'era addormentata.

Ora, sul ponte della motonave, la luce del sole era forte ma filtrata da un velo e colpiva l'acqua con bagliore di metallo. L'imbarcazione scivolava senza sforzo sul liscio del mare. Luisa si mise a contare i gabbiani che ad ali tese, immobili, si facevano trainare dallo spostamento d'aria: sette, più altri che si stavano accodando. Ma la vastità intorno a lei, e soprattutto quell'incontro di brezza, acqua e sale, le tolsero la fantasia di numerare.

Quando erano novelli sposi, una domenica di tanti anni prima, il marito l'aveva condotta su un picco sopra la valle di cui erano originari. Non c'erano tratti da arrampicare ma il sentiero era lungo e ripido, era necessario avere buon fiato. Quello non mancava a Luisa, abituata da sempre a correre dietro alle mucche e a falciare il fieno. Arrivarono in cima perfino prima del previsto. C'era una croce di legno con inciso "2302 sul livello del mare". Mentre il marito estraeva il libro di vetta dal contenitore zincato sotto l'iscrizione, Luisa guardava. Non era mai stata così in alto, davanti a un panorama così aperto, senza versanti di montagne a bloccare lo sguardo. Come tutti i figli di contadini aveva passato le estati agli alpeggi con il bestiame, ma questo era diverso: non avere cime più alte intorno permetteva allo sguardo di scorrere fino a lontananze che non conosceva, oltre questa catena montuosa e oltre la prossima e, oltre quella, ancora e ancora. Luisa era ammutolita di fronte a tanta ampiezza. Il marito, che salendo si era già attaccato più di una volta alla borraccia di grappa, aveva cominciato a cantare. La sua voce coprì il fruscio del vento sulla cui mano invisibile planava, pochi metri più in basso, un corvo nero. Luisa si portò l'indice alle labbra.

"Shhh! Ascolta..."

Zittire lo sposo, però, non era quello che ci si aspettava da una brava moglie alla fine degli anni cinquanta.

Certo non se l'aspettava lui. Le strinse un avambraccio con dita di ferro e la strattonò.

"Cos'hai detto?"

Luisa chiuse gli occhi, investita dal fiato di alcol.

"Cos'hai detto?!"

La prese per le spalle, la sollevò e la spinse faccia avanti verso il burrone.

"Vuoi che sto zitto? Eh? Vuoi che sto zitto?"

"No..." mormorò Luisa, le gambe di pietra per il terrore e la sorpresa.

Quando tornarono a casa le chiese scusa, le disse che le voleva bene, che non voleva buttarla di sotto, che non l'avrebbe mai fatto. Lei gli credette. Era la prima volta che il bel ragazzo dalle spalle larghe che l'aveva invitata a ballare poco più di un anno prima si tramutava in altro. In qualcosa di oscuro, qualcosa che negli anni sarebbe sempre più cresciuto come un sosia usurpatore, sostituendosi al suo bel sorriso. Quel sorriso che alla fine si accendeva solo quando vedeva arrivare in visita i suoi bambini.

La costa era già lontana, l'Isola era una sagoma sulla linea dell'orizzonte. In mezzo c'erano solo acqua e cielo. Lì, in quel trionfo dell'essenziale, Luisa teneva gli occhi. Vi trovava una quiete pari a quella che le sopraggiungeva dopo una giornata di duro lavoro, ma senza la fatica.

Della vicinanza dell'Isola si accorse dopo un po', non con lo sguardo ma con l'olfatto. La investì un'aria densa di umori a lei sconosciuti, speziati quasi, che non avevano nulla in comune con l'aroma di boschi e fieno tra cui era cresciuta. Si voltò e vide, vicinissima, l'Isola.

Si ergeva dal mare in una sinuosa successione di piccole baie. Alcune erano spiagge di sabbia bianca; lì il blu intenso del mare si faceva turchese. Altre erano disseminate di rocce rosa dalle forme bizzarre e la cui mole sommersa rimaneva perfettamente visibile sotto l'acqua cristallina. In un'insenatura riparata, un piccolo molo si protendeva da un grumo di case basse dalle tinte allegre: verdolino, azzurro, rosa. In mezzo spuntavano agavi, bouganville, piante di fico.

Niente dava l'idea di una prigione.

A differenza di Luisa, questa era la quarta volta che Paolo veniva sull'Isola e la odiava. Ne detestava l'odore, i ricci neri che punteggiavano nitidi gli scogli sotto il pelo dell'acqua, i colori pastello delle case. Potevano i visitatori di un carcere speciale essere accolti dalla bellezza del creato? Sì, potevano. E questo era inganno, crudeltà, stortura.

Emilia aveva sempre amato il mare, come Paolo del resto. Poco dopo il matrimonio avevano preso ad andare, ogni estate, in un paesino a nord delle Cinque Terre. Il figlio era cresciuto lì, si può dire: finché non cominciò ad andare a scuola, all'inizio di maggio Emilia s'installava nella casetta a picco su quella costa erta e mite. Paolo li raggiungeva dalla città nei fine settimana, poi, a scrutini terminati, restava con loro fino ai primi di settembre. Fu proprio lì a Framura, tra aromi simili a quelli che ora l'Isola diffondeva nell'aria, che nacque il Saluto Speciale.

Quanti anni avrà avuto il figlio? Tre, al massimo quattro. Era un bimbo di bellezza definitiva – ripensarci provocava in Paolo un dolore diffuso. Aveva gli occhi grandi color delle foglie d'aprile, i capelli dritti e neri come mine di matite. Capelli che veniva voglia di spettinare con le dita per godersi il modo in cui tornavano subito a posto, con vigore, da soli.

La casa che affittavano ogni anno aveva una pergola ricoperta di fiori violacei di clematide e un piccolo giardino, che un vialetto attraversava fino al cancello. Quel giorno Paolo era appena giunto dalla città. Aveva suonato allegramente il clacson per annunciarsi e, come a ogni suo arrivo, il bambino gli era corso incontro – ma non a piedi, sul triciclo che gli avevano appena regalato. Invece di tuffarsi come al solito tra le braccia del padre, era sceso dal nuovo fiammante mezzo di locomozione e aveva drizzato il busto con fierezza di dignitario. Aveva portato alla tempia la mano destra chiusa a pugno con solo il pollice in fuori, poi l'aveva abbassata, in un incongruo, americanissimo gesto d'approvazione. Solo allora aveva sorriso, rivelando la chiostra candida dei suoi dentini.

Quella movenza – pugno alla tempia con il pollice in fuori, poi abbassato come a dire "ok" – diventò, da quel giorno e per sempre, il Saluto Speciale. Padre e figlio lo protessero sempre come una loro cosa privata; non lo condivisero mai con nessuno, nemmeno con Emilia. Se lo scambiarono da dietro il sipario della recita in prima elementare, e anche quando, unico tra gli atleti undicenni nel Giorno dello Sport, superò l'asticella a un metro e venti con elegante salto dorsale. Paolo gli rivolse il Saluto Speciale quando lo incontrò in strada per caso, diciassettenne, abbracciato alla prima ragazza; senza farsi vedere da lei, il figlio ricambiò. Se lo scambiarono il giorno che il ragazzo prese la patente, quello in cui seppe il risultato della maturità, ogni anno al compleanno di entrambi. Il figlio fece al padre il Saluto Speciale al suo ingresso nella gabbia degli imputati.

Com'era bello. Nonostante le occhiaie e il colorito malsano dell'isolamento in cui era stato tenuto per settimane, gli occhi verdi gli brillavano di contentezza: quelle ore di dibattimento significavano vicinanza con i compagni e soprattutto con la sua donna. Poterla addirittura toccare. Entrando con i polsi chiusi dalle manette, aveva frugato con lo sguardo in tutta l'aula del tribunale. Quando vide il padre, fu chiaro il suo sollievo. Questo provocò in Paolo una tenerezza sgomenta e quasi impossibile da sopportare. Il figlio allora gli rivolse un sorriso. Rivelava il buco dove i pugni dell'arresto gli avevano fatto saltare un dente, ma era pur sempre identico a quello che aveva da bambino. Poi, con un lampo negli occhi, il figlio fece al padre, rapidissimo, il Saluto Speciale.

Con un riflesso antico, Paolo alzò verso la tempia la mano destra. Aveva cominciato a stringerla a pugno con il pollice in fuori, quando si accorse che una donna, seduta alle spalle del Pubblico Ministero, lo stava fissando.

La riconobbe. Era la madre di un uomo – non l'unico – che suo figlio aveva giustiziato con un colpo alla testa; ovvero la nonna di quella bambina di tre anni dal cappottino scuro che tutta Italia aveva visto al telegiornale mentre poggiava una rosa bianca sulla bara del padre. Negli occhi della donna non c'era odio, né rancore. Non c'era niente di niente, solo una smisurata oggettività. A Paolo fu concesso per un istante il dono della telepatia e le lesse con chiarezza nel pensiero: *Tuo figlio è ancora vivo. Il mio, no.*

La mano di Paolo si bloccò in aria. La bocca gli si seccò. E anche il Saluto Speciale marcì per sempre, insieme a tutto il resto.

Quel giorno, tornato a casa dal tribunale, ritagliò la foto della bambina che con l'inizio del processo era di nuovo su tutti i giornali. La piegò. Se la mise nel portafoglio. Lo fece in piena coscienza di darsi in questo modo, da solo, una condanna sconosciuta al mondo ma per lui tangibile: un pezzo di carta, concreto, con una seppur minima consistenza e un peso e una superficie, che egli potesse ogni tanto tirare fuori di tasca, guardare, sfiorare. Soltanto così, immaginò, avrebbe potuto forse sopportare l'altra condanna, quella che d'ora in poi gravava su di lui, quella che aveva come fine pena: mai.

Da quasi un anno, quindi, Paolo doveva andare a trovare il figlio in un posto che aveva lo stesso odore, la stessa luce, la stessa bellezza di quel tempo mitologico in cui il Saluto Speciale era stato inventato. Nei tre anni dall'arresto di suo figlio, quello sull'Isola era di gran lunga il carcere che gli era costato più fatica visitare.

Sì. Lui l'Isola la odiava.

Eppure non poté nascondersi una cosa: l'evidente diletto con cui la donna bionda la guardava, lo stesso con cui aveva fissato il mare durante l'intera traversata, era bello da contemplare.

Ha la faccia onesta, avrebbe detto Emilia.

Ma Emilia non c'era.

***

Sul piccolo molo ad aspettare l'arrivo della motonave c'erano una Fiat campagnola grigia con la scritta AADC, un pulmino azzurro che doveva essere sulle strade da almeno vent'anni e un furgone dal colore indistinguibile sotto lo strato di polvere. Mentre un agente sul ponte di poppa impediva ai passeggeri di avvicinarsi, il detenuto, scortato da Nitti e un'altra guardia, fu il primo a scendere dalla motonave. Tutti si sporsero dalla balaustra per osservarlo. Ammanettato, percorreva a passi lenti la passerella. Strizzava gli occhi come per difenderli dalla luce, anche se il cielo si era completamente annuvolato, e li teneva fissi sulla trasparenza acquamarina sotto di lui in cui nuotavano molte sagome scure. Arrivati sul molo, i due agenti lo spronarono verso la campagnola. L'uomo li seguì ma con la testa rivolta all'indietro, lo sguardo sempre al mare. Pareva un bambino che adulti indaffarati vogliono trascinare via da una vetrina di giocattoli. Appena fu salito, e Nitti con lui, la campagnola partì per la Diramazione Centrale. Solo allora l'altro agente permise al resto dei passeggeri di sbarcare dalla motonave.

Paolo si avviò verso la scaletta di ferro diretto al ponte inferiore e passò davanti alla porta aperta della cabina di pilotaggio. All'interno, il secondo stava indicando al comandante, un uomo sulla cinquantina dal viso coperto di nei, il barometro inchiodato al muro.

"Non l'ho mai visto scendere così veloce" disse il secondo.

"Di' agli agenti di sbrigarsi a riportarli indietro" rispose il comandante. "Io a mezzogiorno salpo, non aspetto nessuno."

Anche Luisa percorse la passerella fino al molo. Si guardò attorno, incerta. Osservò tutti i passeggeri che come lei avevano pacchi e sporte dirigersi verso il pulmino.

"Diramazione Centrale, Diramazione Centrale!" gridava l'autista. Luisa salì con tutti gli altri. Si era appena sistemata su uno degli ultimi sedili liberi quando un agente a bordo le chiese: "Ma lei non va allo Speciale?"

"Sì. Ho il permesso..."

"Ecco. Mi pareva. Scenda, deve prendere quello." Le indicò il furgone.

La gente sul pulmino ormai si era assiepata anche nel corridoio, molti tenevano i pacchi in braccio perché non c'era più posto per appoggiarli a terra. Luisa si rialzò dal sedile che un'inutile fortuna le aveva permesso di occupare e si fece largo a fatica verso l'uscita. Il furgone IVECO impolverato, nel frattempo, s'era già avviato ma l'agente scese dal pulmino e gli corse dietro gridando: "Fermo! Aspetta! Ce n'è un'altra per lo Speciale!"

Il furgone inchiodò, e la testa di tutti i passeggeri venne catapultata in avanti. Luisa, tenendo stretto il pacco, lo raggiunse di corsa. Provò a salire davanti ma era troppo pieno: perfino sulla scatola del motore c'erano sedute due persone. L'agente che aveva gridato le indicò l'apertura posteriore. Sul retro, la gente era seduta per terra, accatastata. Luisa si sistemò accanto a loro. Le portiere non si chiudevano e da dentro un passeggero con fare esperto – si vedeva che non era un visitatore – fissò tra l'una e l'altra un cordino per tenerle insieme. Restò un'apertura da cui Luisa doveva tenere le gambe fuori, penzoloni.

Paolo la osservò mentre si sistemava. Era seduto su una delle due panche che correvano lungo le fiancate. Lui e Luisa erano gli unici visitatori diretti al carcere speciale. Gli altri passeggeri erano agenti di custodia di ritorno da un permesso, lavoranti, personale della stazione sanitaria, una donna con un neonato, un uomo con occhiali e valigetta. L'autista si rivolse a quest'ultimo chiamandolo "Dottore", poi rimise in moto e partì.

Dal molo il furgone, invece di andare verso il grumo di case colorate, svoltò e imboccò la strada, l'unica, che percorreva l'Isola in tutta la sua lunghezza. Per qualche centinaio di metri il mezzo procedette in modo regolare, poi ci fu un grosso scossone, un altro, un altro ancora, e si capì che non sarebbero finiti. La strada d'asfalto era diventata una pista bianca sconnessa dall'erosione, con tornanti a precipizio sul mare senza uno straccio di guard rail. Una nuvola di polvere investì in pieno Luisa, la più vicina di tutti alle portiere tenute insieme da quell'unico, esile cordino. I suoi vicini di posto la guardarono con commiserazione ma anche il malcelato sollievo di non essere loro, quelli seduti lì.

Quando Luisa era salita, Paolo era stato sul punto di offrirle il suo posto sulla panca ma non aveva fatto in tempo, il furgone era partito subito. Ora, vedendola coprirsi il naso con un fazzoletto, cercò di attrarre la sua attenzione. Ma il frastuono del motore avrebbe reso necessario gridare, e forse neanche quello sarebbe bastato per farsi capire. Si mise a battere con la mano sulla fiancata del furgone. Dopo un po' ottenne ciò che voleva.

"Che c'è?" disse l'autista, voltandosi ma senza frenare. Cosa che provocò una certa agitazione nei passeggeri: la pista di terra ora si trovava a picco su una scogliera.

"Può fermarsi per favore?" urlò Paolo per farsi sentire.

"E perché?" urlò di rimando l'autista.

Aveva una quarantina d'anni, ma ne dimostrava allo stesso tempo di più e di meno. Di meno per la guasconeria con cui girava il volante con una mano sola, la velocità cui costringeva il vecchio furgone, l'esibito disinteresse per lo strapiombo a pochi centimetri dalla sua portiera. Di più, per una certa pesantezza di palpebra, come chi in vita sua ha fatto troppi turni di notte.

"Vorrei fare a cambio di posto" disse Paolo.

"... Come disse l'impiccato" fece l'autista. Lo disse senza alcuna ironia anzi, con voce piana. Però poi sempre guidando si voltò – di nuovo! – come a controllare che la battuta fosse recepita.

Luisa non si era accorta di nulla: lì dietro dov'era seduta, il frastuono era troppo forte per seguire il dialogo. Fu sorpresa, quindi, quando il furgone inchiodò. Di nuovo tutte le teste si piegarono in avanti, tranne la sua che, volta in direzione opposta, andò all'indietro quasi spezzandole il collo. Dopo una breve pausa, nello spicchio di strada che s'intravedeva tra le portiere, le apparve Paolo.

"Signora, mi scusi. Lei permette se facciamo a cambio di posto?"

Luisa alzò gli occhi. L'uomo era alto, magro, i capelli brizzolati e spessi, i tratti belli segnati dalle cicatrici di un'acne antica. Aveva parlato con titubanza, quasi stesse chiedendole lui una cortesia e non il contrario.

"Ma qui c'è... polvere" disse Luisa impacciata.

"Appunto" fece lui. E alzò una spalla, come a dire: "Mi piacerebbe proprio, sedermi qui."

"Ce la diamo una mossa?"

L'autista li stava guardando nello specchietto retrovisore. Senza impazienza però, semmai curiosità. Luisa, ancora interdetta per quella proposta inaspettata, sganciò il cordino che teneva unite le portiere, le aprì e saltò fuori.

"Grazie" mormorò a Paolo.

Lui prese il suo posto mentre lei faceva il giro del furgone. Appena Luisa salì davanti l'autista, fissandola negli occhi, girò con disinvoltura la chiave e riavviò il motore. Lei dovette sbrigarsi a sedere sulla panca liberata da Paolo: il furgone si era avviato, a restare in piedi rischiava di cadere.

***

Fin da quando era stata istituita la colonia penale, ogni nuovo direttore carcerario aveva dichiarato come sua massima priorità la soluzione del problema *strade.* O meglio, del problema *pista di terra battuta.* Insomma dell'unica via che percorreva l'Isola in lunghezza attraversando uno dopo l'altro tutti i carceretti e i loro terreni, dalla Diramazione Centrale nel capo settentrionale fino alla sua estremità meridionale. Qui era il punto più lontano dall'imbarcadero e insieme il più prossimo all'isola maggiore, da cui lo separava però lo Stretto insidioso. Qui era il carcere speciale.

Armato di ottimi propositi ed entusiasmo, ogni nuovo direttore dava inizio all'opera, facendo partire l'asfaltatura da quella diramazione che, per qualche sua personale fissazione, considerava più degna di un accesso pavimentato. Ma ben presto, com'era successo al predecessore, e al predecessore del predecessore, il flusso di soldi si prosciugava come un fiume stagionale, lasciando a secco i lavori. I fondi erano cronicamente insufficienti per la manutenzione ordinaria, figuriamoci per ciò che si poteva rimandare. Tutte queste buone intenzioni fallite lastricavano ora la strada dell'Isola, com'era sotto gli occhi di chi la percorreva. O meglio sotto il suo sedere, graziato da sobbalzi e scossoni unicamente in prossimità dei carceretti, e anche lì solo per pochi metri.

Quando l'andatura si faceva regolare, quindi, i passeggeri del furgone sapevano di essere vicini a una delle varie diramazioni dell'istituto penale. Gli edifici che componevano ogni carceretto avevano una chiara fisionomia penitenziaria, con torri di guardia, filo spinato, grate alle finestre. Avevano però anche un'aria bucolica, quasi da cascina: uno era attorniato da vigne ordinate, un altro da prati su cui ruminavano mandrie di bovini accuditi da carcerati privi di sorveglianza, un terzo era sormontato da due alti silos per le granaglie. Ovunque, oltre alle guardie e ai detenuti sconsegnati, animali domestici: asini, cani, gatti, mucche, cavalli, pecore e capre.

Via via che arrivava a destinazione, la gente scendeva dal furgone. Al primo carceretto, quello con il bestiame, scese tra gli altri l'uomo con la valigetta.

"Dottore" chiese l'autista, "facciamo come l'altro giorno, la riprendo quando torno su?"

"No, lì dovevo fare l'antitubercolina a tutte. Oggi controllo solo se ci sono dei positivi. Dovrei far presto. Chiedo un passaggio a qualcuno quando ho finito."

Luisa osservò con interesse le vacche indicate dal veterinario. Erano di una razza a lei sconosciuta. Le sarebbe piaciuto sapere se fossero da carne, da latte o duplici; quanto latte producevano; se le primipare ne dessero molto meno delle pluripare e se sì, di quanto. Il furgone però era già ripartito e aveva ripreso ad andare, tra la polvere e gli scossoni.

L'Isola aveva rilievi montuosi, dall'imponenza quasi continentale, che digradavano verso pianure coltivate a grano, mais, sorgo e avena. Le diverse messi erano separate da muretti a secco di fattura impeccabile, antica. Esili strisce di sabbia bianca separavano i flutti del mare dalle acque immobili di stagni retrodunali. Distese di vigne, sormontate da una torre saracena o dal rudere di un fortino, si alternavano a escrescenze rocciose. Su alcune di queste si scorgevano le imboccature di caverne scure che parevano fatte apposta per antichi culti pagani. Lungo le rovine di una tonnara in disuso, a pochi metri dalle onde, galoppava una mandria di cavalli selvatici.

Luisa non riusciva a smettere di contemplare quel paesaggio così diverso da qualsiasi altro. La panca laterale su cui sedeva era rivolta verso l'interno del furgone e lei stava tutta storta pur di guardare fuori dal finestrino. Solo su un tornante particolarmente insidioso vide qualcosa che le era familiare: una piccola croce, ornata da un mazzo di fiori rinsecchiti.

Oltre ai veicoli in dotazione al carcere, come i cellulari per la traduzione dei detenuti o il furgone, giravano per l'Isola anche le auto private dei dipendenti. Un mezzo all'altezza di quella viabilità primitiva, un fuoristrada, potevano permetterselo però solo il direttore, il medico di guardia e pochi altri. Non certo gli agenti di custodia. Loro compravano dagli sfasciacarrozze auto ormai prive di targa e d'immatricolazione e le portavano qui con la motonave. Su una cosa infatti c'era da stare tranquilli: sull'Isola si potevano trovare cinghiali, asini albini, pernici, cavalli selvatici, gufi e mufloni, ma neanche un vigile urbano. I freni di quei rottami, già all'osso, i loro pneumatici, già senza più traccia di scanalature, venivano consumati, allisciati, distrutti definitivamente da questa strada. Qualsiasi agente vissuto qui da un po' si vantava della volta che era quasi finito giù dalla scogliera, o dell'impatto evitato per un pelo contro un certo roccione. Ma c'erano anche casi in cui non rimaneva più nessuno che potesse raccontare.

Luisa viveva in una provincia montana dalle strade costellate di croci proprio come questa. Erano memoriali a gente spesso giovane, ancora più spesso ubriaca. Per questo lo riconobbe subito. Si segnò e mormorò una breve preghiera.

***

Un fico secolare sormontava un abbeveratoio di pietra bianca. Sullo sfondo, il mare. Uno scorcio idilliaco e traditore: dopo la curva, vicinissima, apparve la mole del carcere speciale.

Era una costruzione bassa, a un piano solo, costituita da vari bracci alternati a cortili interni. Le finestre avevano le bocche di lupo ma il tetto era di un rosso vivace da cascina, e oltre le torrette di guardia luccicava lo Stretto: tutto accentuava il senso di contrasto, anzi, di assurdo che pervadeva l'Isola intera. Qui però niente placide mucche ruminanti nelle vicinanze, né asinelli dal muso mite. Niente galline, niente coltivazioni, niente capanni per gli attrezzi del lavoro nei campi. Chi stava qui dentro, di sicuro non usciva.

L'asta di un passaggio a livello fermò il furgone. Era collegata a una garitta di metallo e vetro da cui uscì una guardia. Si avvicinò al finestrino, salutò con un cenno del capo.

"Solo due, oggi" fece l'autista.

La guardia annuì.

"Sono venuti tutti la settimana scorsa." Scrutò dentro.

Luisa e Paolo erano rimasti gli unici passeggeri insieme a un giovane agente dai capelli corti, che tornava da un permesso sulla terraferma. Ora che il furgone si era svuotato, Paolo sedeva sulla panca laterale di fronte a Luisa. La sua permanenza sul pavimento nel retro gli aveva ricoperto di polvere i pantaloni.

"Permesso" intimò loro la guardia.

Paolo aveva già pronto in mano il foglio timbrato e firmato. Luisa invece non lo trovò subito e dovette mettersi a frugare nella borsa. Sapeva di averlo con sé, l'aveva già mostrato all'imbarco della motonave, eppure i suoi movimenti diventarono ansiosi. Le piombò addosso, pesante come un mantello nero, un senso d'oppressione. Presa da ciò che le passava davanti agli occhi, il mare prima, l'Isola poi, si era quasi dimenticata del motivo per cui era lì. O almeno, non l'aveva avuto più così presente. Aveva perfino ignorato i pali della luce lungo la strada, sebbene fossero una delle cose che era più solita contare. L'arrivo al carcere aveva interrotto quello stato d'animo quasi contemplativo. La guardia ora la fissava mentre le sue dita frugavano con crescente agitazione dentro la borsetta. Quando Luisa trovò il foglio provò un senso di scampato pericolo sebbene, perfettamente ripiegato, fosse lì dove l'aveva sempre riposto, nella tasca laterale. Lo porse.

La guardia lesse con attenzione i documenti suoi e di Paolo, controllando anche che l'ora prevista corrispondesse a quella sul proprio orologio. Luisa, il cuore che le batteva all'impazzata, si mise a contare i bottoni della sua uniforme grigia (quattro grandi in mezzo, quattro più piccoli ognuno su un taschino), poi le finestre sul muro dietro la garitta. Era arrivata a sette quando la guardia restituì i permessi e fece un vago cenno, rivolto più al furgone che al suo conducente, di proseguire.

Lasciarono la strada principale, che portava fino alla punta meridionale dell'Isola, e costeggiarono su una stradina il lungo muro della prigione. Seguendone il perimetro, si ritrovarono sul lato principale.

Da qui il carcere dava un'impressione del tutto diversa. Lo si raggiungeva percorrendo un vialetto bordato di alloro. Oltre le siepi c'erano aiuole di fiori separate da linee ordinate: un sasso grigio, un sasso rosa, un sasso grigio, un sasso rosa. Il portone era di ferro azzurro e spiccava piacevolmente sulla facciata imbiancata a calce. Il fregio che lo sovrastava aveva una curvatura quasi barocca. Visto da qui, il carcere di massima sicurezza sembrava una casa colonica messicana.

Luisa si voltò verso Paolo.

"È questo?" chiese incredula.

Lui annuì appena. "Sì. Anch'io non ci credevo, la prima volta. Questo posto è..."

Scosse la testa, cercò la parola. Ma rinunciò, anche perché l'autista era sceso e aveva aperto la portiera. Uscirono dal furgone insieme alla giovane guardia dai capelli corti che si allontanò svelta verso il portone. Una goccia colpì il naso di Paolo, che alzò il viso al cielo.

"Che fa, piove?"

Luisa stese in fuori un braccio e ruotò verso l'alto il palmo della mano.

"No..."

Anche lei sollevò lo sguardo verso le nubi grigie. Intanto l'autista si era diretto verso un uscio più piccolo di fianco al portone principale, dello stesso azzurro allegro. Suonò il campanello mentre Luisa e Paolo si avvicinavano. Un agente di custodia aprì.

"Solo due?" chiese squadrando i visitatori.

L'autista annuì.

"Senti, digli a Camba di non tirare le cose in lungo. Oggi dobbiamo tornare puntuali."

"Le cose durano quanto devono durare" rispose l'agente. "Se hanno roba giusta, faranno presto. Se hanno roba sbagliata, non faranno presto. Ce li hanno i permessi?"

Questa volta sia Luisa sia Paolo avevano pronti in mano i fogli con l'autorizzazione a visitare i loro parenti, proprio oggi, proprio ora.

"Documenti?"

Diedero alla guardia le loro carte d'identità.

"Stato di famiglia?"

Luisa mostrò il foglio con il timbro del piccolo comune montano dove si confermava che sì, era proprio lei la moglie del detenuto. Vi erano elencati anche cinque altri nomi: Anna, Ciriano, Maddalena, Irene e Luca. Quello che consegnò Paolo dichiarava che il suo nucleo familiare era composto da due persone: il detenuto suo figlio, e lui.

Tenendo la porta aperta, l'agente fece segno a Luisa e Paolo di entrare.

***

I ravioli furono subito sequestrati. Camba, un uomo basso e dalle dita larghe come spatole da muratore, cominciò aprendone qualcuno a casaccio con un seghetto. Controllava che dentro non ci fossero messaggi, o esplosivo, o altre cose proibite. Ma presto si stufò.

"Non possiamo mica aprirli tutti" disse a Luisa.

Lei provò a protestare.

"Sono centocinquantatré..."

"Appunto. Troppi per controllarli uno a uno."

"Ma a farli ci ho messo un giorno intero."

Non ci fu niente da fare: la guardia appoggiò la scatola di cartone sul tavolaccio dal lato dei materiali che non passavano al vaglio. A Luisa venne in mente sua figlia Irene.

Questo, non glielo racconto.

L'agente aprì per il lungo anche i salamini affumicati. Ne espose la pancia rosa da animaletti sbudellati. Erano solo dieci quindi lo poté fare con tutti. Non li confiscò.

Paolo aveva portato per il figlio, tra tante altre cose, un pollo arrosto preparato da sua sorella. Quando l'agente prese la carcassa e guardò dentro l'apertura da cui avevano svuotato le frattaglie, Paolo ebbe la sgradevole immagine di una perquisizione anale.

Ormai frequentava le carceri da abbastanza tempo per sapere che era meglio portare tabacco e cartine piuttosto che sigarette già confezionate: ogni tanto c'era un agente di cattivo umore che sospettava ci fosse arrotolato dentro del denaro e te le sequestrava. Per non parlare dell'errore che aveva fatto la prima volta quando, pensando di integrare la dieta del figlio con cibi nutrienti, gli aveva portato tre bistecche. Gliele avevano tolte senza neanche una parola. Lui s'era dato del cretino, ma in seguito aveva appreso dal regolamento che se fossero state cotte gliele avrebbero passate.

Molto avevano imparato, sia Paolo sia Luisa, da quando era iniziata la loro frequentazione dei parlatori. La prima cosa da capire era come compilare la lista che doveva accompagnare i doni. Sarebbe stata poi archiviata come documento ufficiale e, se quanto vi era scritto contravveniva alle direttive, l'agente addetto all'accettazione doveva per forza dire di no. C'erano guardie che avrebbero anche lasciato correre ma, se i superiori si fossero messi a controllare l'elenco, avrebbero passato un guaio. Luisa e Paolo avevano ormai imparato che la giusta scelta dei nomi era essenziale.

Il pesce era vietato, non importa se cotto o crudo, ma se un risotto di mare era descritto come "all'aglio e prezzemolo" allora passava. Le torte erano proibite; chiamate "focacce" però erano accettate. Tuttavia una volta Paolo si vide rifiutare una torta di pasta di mandorle perché emanava un odore simile a quello del cianuro. Essere sospettato di voler avvelenare suo figlio lo offese moltissimo, ma non ci fu niente da fare: la torta finì nella spazzatura.

Paolo oggi aveva portato al figlio un accappatoio pur sapendo che era vietato. Sulla lista però, astuto, aveva scritto: "numero 1 asciugamano con le maniche". La guardia glielo passò.

Finito il vaglio, sul tavolaccio restarono due mucchi di cose. Quelle da consegnare furono infilate in uno sportello girevole. Lo chiamavano tutti "la Ruota". Come se dall'altra parte non ci fosse un mondo blindato cui recapitare piccoli generi di conforto, bensì un orfanotrofio, cui affidare trovatelli in nome della carità.

I camerini delle perquisizioni erano due, uno per le donne e uno per gli uomini. Paolo e Luisa erano gli unici visitatori allo Speciale, quindi furono perquisiti in contemporanea. Ad attendere lei c'era una vigilatrice di mezza età. Aveva polsi grossi che spuntavano dai guanti sanitari. Era la moglie di un agente di custodia ormai vicino alla pensione e aveva quattro figli. Integrava lo stipendio del marito frugando i corpi di donne e minori.

"Braccia alzate."

Luisa fu investita da una zaffata di cibo mal digerito. La donna le passò intorno alla sagoma il metal detector, duro e inanimato. Poi con le mani inguantate percorse, una seconda volta, tutto il suo corpo: seno, ascelle, pancia, gambe, inguine da davanti e da dietro.

Luisa teneva gli occhi al soffitto. La disturbava essere toccata così intimamente? Se gliel'avessero chiesto, non avrebbe saputo rispondere. Lo era stata così poco, in vita sua. Il marito non le aveva mai esplorato il corpo, si era sempre solo concentrato su natiche e seno. Tra le gambe l'aveva toccata ben poche volte con le dita e sempre in modo veloce e funzionale, per agevolare la penetrazione.

Se ci avesse pensato, Luisa avrebbe concluso che, a parte mentre si lavava, intere zone della sua pelle non erano mai state sfiorate da altre mani oltre a quelle di sua madre quand'era neonata. Ma questo era il tipo di pensiero che a Luisa non veniva proprio in mente. Le dita della vigilatrice che le percorrevano il corpo con brusca efficienza non le davano certo piacere ma neanche fastidio. Era come se toccassero qualcosa che non era compiutamente parte di lei. C'era solo da aspettare che avessero finito.

Lo stanzino in cui si trovava aveva una finestra. Era chiusa da una grata, fuori s'intravedeva un fico spoglio. La luce del giorno stagliava sul muro l'ombra dei rami frammezzati a quella delle sbarre. Sette in larghezza, cinque in altezza, e ventiquattro quadrati di luce definiti dai loro incroci.

La vigilatrice soffiò in faccia a Luisa, ma senza scortesia, il suo alito cattivo.

"Può rimettersi le scarpe."

Lei eseguì, afferrò la borsetta e uscì dallo stanzino.

Attraversò un breve corridoio che la portò davanti all'ingresso dei parlatori. Questo era il punto più vicino alla sezione a regime speciale cui potesse accedere un visitatore. Alla sinistra di Luisa si scorgevano tre porte a grata in successione, oltre le quali c'erano solo i carcerati e i loro carcerieri.

Le altre prigioni che Luisa aveva frequentato, quelle cosiddette normali, avevano un suono inconfondibile. Un misto di musica e voci da radioline e televisori, di frasi gridate da una cella all'altra, di passi pesanti e tintinnio di chiavi, di rimbombo di grate sbattute e di serrature. Era una cacofonia sempre uguale, una specie di respiro della vita penitenziaria, con una sua vitalità. Ora che vi era così prossima Luisa si accorse che, davvero, questo carcere non era uguale agli altri. Qui niente radio (bandite), niente televisori (accesi non più di due ore la sera, e mai per chi era in punizione), soprattutto nessuno di quei richiami tra una cella e l'altra che sono i fili di cui è intessuta la giornata in galera e che la rendono, se non tollerabile, almeno umana. Qui, grida e saluti erano proibiti. Per comunicare, i detenuti bisbigliavano piano nelle tubature mentre un compagno di cella faceva la guardia allo spioncino, oppure con le lampade al soffitto proiettavano lettere come ombre cinesi sui muri esterni, una a una: per comporre una frase di tre parole ci mettevano mezz'ora. Luisa questo, però, non lo sapeva. Lei del carcere speciale percepiva solo il silenzio, denso e carnivoro come il fiato di un predatore.

Seguendo la vigilatrice, Luisa entrò nel locale dei parlatori.

MAESTRALE

Quando avevano arrestato il figlio, Emilia aveva detto: "Adesso almeno so dov'è."

E Paolo pensò che sua moglie, ancora una volta, si stava dimostrando la più forte, la più pratica, la più resistente dei due. Una convinzione che, come tutto il resto, sarebbe stata spazzata via appena vennero a sapere di cosa, per la precisione, il figlio era accusato.

Era da anni che Paolo ed Emilia ignoravano dove egli vivesse, facendo cosa. Lo supponevano, naturalmente, ma in modo vago e privo di dettagli. Come le corna di una lumaca schiva, ritraevano i pensieri da immagini troppo nette di armi e del loro uso. Talvolta il figlio andava a trovarli, spesso a ridosso delle feste comandate ma mai il giorno esatto, il 22 dicembre ad esempio, o quattro giorni dopo il compleanno di uno dei genitori. Appariva senza preavviso, bello e troppo magro, in abiti impiegatizi che un tempo avrebbe dato un braccio per non indossare. Quel travestimento da ragioniere, più di qualsiasi altra cosa, diede loro l'idea di cosa volesse dire "clandestinità". Elargiva baci sul collo alla madre e maschi abbracci al padre, mangiava i cibi della sua infanzia con la voracità di un cucciolo poi spariva di nuovo per mesi. Paolo ed Emilia, dopo queste visite, restavano seduti al tavolo della cucina, la mano dell'uno appoggiata su quella dell'altra, in silenzio, immobili. Non accendevano la luce neanche quando da un pezzo si era fatto buio.

Anche la polizia o gli inquirenti o lo Stato o chi accidenti decideva queste cose dovevano essere arrivati alla conclusione che quelle due persone beneducate del figlio non ne sapevano nulla. Dopo un paio d'incursioni notturne in cui avevano rivoltato la casa come un vecchio cappotto, frugato in ogni cassetto, intercapedine e controsoffitto, non si era più visto nessuno.

Con l'arresto, tutto era cambiato. Il sollievo di Emilia al sapere dove fosse il figlio durò poco. E svanì in modo definitivo quando lei e Paolo furono informati dei capi d'imputazione: tre omicidi in forma di vera e propria esecuzione, senza contare le rapine a mano armata e innumerevoli altri reati minori. A Paolo, in seguito, risultò chiaro: fu in quel momento che Emilia cominciò a morire.

Il figlio fu messo in isolamento. Per giorni. Settimane. Mesi. Parlava con qualcuno solo durante gli interrogatori. Quando finalmente tornò in una cella con altri esseri umani e poté telefonare a casa, biascicava come un vecchio. La lingua non sapeva più eseguire i movimenti giusti su denti e palato. Paolo, dall'altro capo del filo, non riuscì quasi a capire cosa diceva. Emilia lo comprese un po' meglio, ma la conversazione fu comunque breve.

La durata regolamentare delle chiamate dal carcere era di un gettone telefonico. Dal suono della moneta che cadeva nella pancia metallica dell'apparecchio, rimanevano ancora solo pochi secondi per congedarsi. A Paolo, quell'affannosa fretta finale dei saluti telefonici col figlio dava sempre angoscia. "Ciao, stammi bene, ci sentiamo presto": avrebbe quasi voluto cominciare la conversazione così e togliersi, fin dall'inizio, il pensiero del commiato. Non lo fece mai, però.

In quella prima telefonata dopo i mesi d'isolamento, l'ultima cosa che il figlio disse, quasi in contemporanea con il malevolo "clic" del gettone, fu: "Venite a trovarmi. Per favore."

Poi rimase solo il tono sordo della linea caduta.

Alla prima visita Paolo ed Emilia andarono insieme.

Il figlio non era ancora in un carcere di massima sicurezza, quelli sarebbero arrivati dopo. Nel parlatorio, quindi, li separava da lui solo un grosso tavolo. Una guardia vigilava che visitatori e detenuti non si toccassero, ma se Paolo allungava la mano sentiva il calore di quel corpo così familiare che pure aveva compiuto gesti a lui sconosciuti: con quelle mani aveva imbracciato armi, con quelle dita aveva schiacciato grilletti, con quegli occhi – colore dei prati come quand'era bambino – aveva preso la mira.

Quando Emilia vide entrare il figlio dalla porta in fondo allo stanzone cominciò a piangere. Non smise più per tutta la durata del colloquio. Un pianto silenzioso, senza singhiozzi o gemiti, solo un incessante sgorgare d'acqua dagli occhi. *Le cateratte del cielo* si trovò a pensare Paolo: sua moglie piangeva come un diluvio divino. Come se volesse riversare fuori di sé ogni liquido organico, disseccarsi, ridursi a una mummia.

All'apparenza non fu così. Il corpo di Emilia uscì da quel primo parlatorio uguale a quando si era seduto. Tutto il resto però, in effetti, le si prosciugò. Come un insetto divorato dai batteri, di cui rimane solo il vuoto guscio di cheratina.

Quando Paolo aveva saputo che avrebbe rivisto il figlio per la prima volta dopo tanto tempo (l'ultima sua fugace incursione a casa dei genitori era stata quasi due anni addietro), s'era ripromesso di fargli tutte le domande che gli avevano tolto il sonno prima e soprattutto dopo il suo arresto, quando erano state formulate le imputazioni e Paolo ne era stato informato. Quando era già stata vista e riprodotta sulle prime pagine di tutti i giornali la foto dell'uomo disteso per terra sul marciapiede con un'aureola di sangue e le mani aperte. E la foto della bambina con il cappottino al funerale del padre. E quella della guardia giurata davanti alla banca, il busto striato dalla linea scura della sventagliata di mitraglietta. E quella della moglie incinta che abbraccia la bara con sopra il berretto d'ordinanza.

Che poi le domande in realtà erano una sola, o comunque era l'unica cui Paolo riusciva a pensare: "Ma che hai fatto? Che hai fatto!?"

E fu questo che gli chiese.

Il figlio sedeva all'altro lato del tavolaccio e non guardava la madre che silenziosamente, incessantemente, inondava il mondo d'acqua salata.

"La rivoluzione" rispose.

Paolo ripensò quasi con nostalgia al "per favore" strascicato di qualche settimana prima. Come se quell'implorazione al telefono fosse stata un germoglio verde e tenero spuntato in un deserto. Subito essiccato, però – e che pianta sarebbe diventata, nessuno l'avrebbe mai saputo.

Non balbettava più, il figlio. Proseguì: "E continuerò a farla anche qui dentro, la rivoluzione."

Non è che Paolo non se l'aspettasse, quella risposta. Certo che se l'aspettava. Ma rimase ugualmente senza parole, come davanti a un muro invalicabile si resta senza passi. Solo dopo un lungo silenzio – mentre Emilia piangeva, piangeva senza fare alcun suono – gli chiese: "Ti danno abbastanza da mangiare?"

Quella fu la prima volta.

L'introduzione di Paolo al mondo delle perquisizioni, delle liste di vivande lecite e no, della burocrazia carceraria. Ci furono poi tante altre visite, in prigioni assai diverse, con agenti di custodia sgarbati, bonari, brutali, silenziosi, delicati nelle perquisizioni corporali oppure asettici, o anche offensivi.

Emilia non lo accompagnò più. Impiegò pochi mesi a morire.

***

Con due soli visitatori si fa veloce. E poi la procedura d'ingresso, a parte i ravioli, era stata senza intoppi. I colloqui, ordinati. Alla fine dell'incontro con i parenti, non c'erano stati quei drammi, pianti, implorazioni, cui si abbandonavano in tanti, troppi. Erano soprattutto le mogli dei capiclan che ci tenevano a mostrare ai loro uomini quanto quella separazione fosse insopportabile. L'agente Camba sospettava che proprio le donne che alla fine della visita davano in escandescenze fossero quelle che più riempivano di corna i mariti in galera. Ovviamente questa sua convinzione se l'era sempre tenuta per sé, non ci teneva a finire accoltellato.

Fosse così ogni giorno, aveva pensato quando, all'annuncio che il tempo era scaduto, sia la donna sia l'uomo avevano riagganciato la cornetta dell'interfono senza una parola di protesta. Avrebbe quasi voluto premiarli con qualche minuto in più di colloquio. Ma loro si erano subito avviati verso l'uscita, docili e veloci, e gli venne il dubbio che non l'avrebbero preso come un gran favore. Soprattutto lei. Nel modo con cui aveva staccato per prima lo sguardo dal viso oltre il vetro, ancora prima che gli si avvicinasse una guardia per riportare il detenuto in cella, l'occhio esperto dell'agente Camba aveva intravisto un vago sollievo. E la pesantezza con cui si era alzata dalla sedia esprimeva più liberazione da un dovere che tristezza per l'assenza che la aspettava a casa. Non era sicuramente la prima moglie che si separava dal marito dietro le sbarre con quello sguardo: di fatica, rassegnazione, dolore ma anche, appunto, sollievo.

Certo, pensò l'agente, poteva sempre sbagliare ma, secondo lui, queste donne al loro compagno le corna non gliele mettevano, non importa quanto fosse ancora lunga la pena. Avevano l'aria di avere la vita già abbastanza difficile così, per volersela ulteriormente complicare.

L'uomo, invece, era rimasto a guardare oltre il vetro fino a quando il ragazzo, tutto il bello della sua giovinezza mortificato dalla divisa marrone, era uscito dalla stanzetta dei colloqui per tornare in cella. I genitori in visita facevano sempre così: la presenza dei figli incarcerati se la bevevano tutta, fino all'ultimo goccio.

Camba accompagnò i due visitatori al furgone. L'automezzo li aspettava fuori dal portone azzurro, davanti a quella graziosa facciata che i parenti dei detenuti di un carcere speciale avrebbero anche potuto considerare, a buon diritto, una presa in giro. Sull'orizzonte grigiastro aveva cominciato a lampeggiare. Senza rumore però, come se il cupo delle nuvole spegnesse, oltre ai colori del mondo, anche il boato dei tuoni in lontananza.

"Vai, che la motonave mica vi aspetta" disse l'agente Camba all'autista che accanto al furgone fumava e guardava il cielo.

"Dovremmo farcela" rispose quello. Diede un'ultima tirata incavando le guance poi buttò in terra il mozzicone. Mentre saliva al posto del conducente bofonchiò, più per se stesso che altro: "... Come dissero i camionisti passando davanti alla puttana."

Paolo e Luisa salirono sul furgone a testa bassa e l'autista girò la chiave. Il rombo del motore riempì il silenzio astratto del temporale lontano. Inserì la retromarcia, girò la testa all'indietro con gesto fluido – gli sarebbe dispiaciuto andare a finire sulle aiuole di rose e biancospino, così ben curate da detenuti più fortunati di questi. Poi raddrizzò il volante e, lasciandosi alle spalle la costruzione bassa del carcere, si avviò di gran carriera verso il nord dell'Isola. Là dove la motonave aspettava di portare i visitatori in salvo sull'isola maggiore, prima del fortunale.

Paolo e Luisa guardavano fuori, muti, uno di qua, l'altra di là, in balìa degli scossoni. Il furgone percorse la sottile striscia di sabbia che separava il mare da uno stagno di acque ferme e nere. Passarono davanti a un asino candido che si mise a galoppargli affiancato. La grossa testa bianca restò vicino al finestrino di Luisa per qualche metro. Aveva l'espressione intenta e compresa di uno scolaro che non vuole far tardi il primo giorno di scuola. Quando fu distanziato, Luisa piegò all'indietro il collo per non perderlo di vista. Abbozzò anche un movimento del capo rivolto a Paolo come a dirgli: "Guarda!", ma lui teneva gli occhi sulla linea della costa e non notò il suo gesto. L'asinello intanto s'era fermato e, immobile in mezzo alla strada, teneva puntato lo sguardo mite sul furgone che si allontanava. Luisa lanciò di nuovo un'occhiata a Paolo. Le dispiaceva che si fosse perso la scena.

Il vento s'era alzato ancora. Il mare cupo si schiantava con sempre maggiore forza contro le scogliere. Certi schizzi erano così alti che raggiungevano quasi il veicolo. Paolo però, anche se aveva gli occhi aperti, non stava vedendo nulla. Né la terra, né il cielo.

***

C'era qualcosa nel nuovo detenuto che non lo convinceva, ma Nitti Pierfrancesco non avrebbe saputo dire che cosa. Il silenzio in cui si era chiuso, senza crepe e compatto come un ciottolo di mare? No. Nessun nuovo arrivato sull'Isola aveva mai voglia di fare conversazione. Gli occhi sfuggenti? Nemmeno. Gli uomini che osano esporre il proprio sguardo apertamente a quello altrui sono rari in genere, tra i pedofili poi... Il fisico contratto, come una molla pronta a scattare? Sai che novità! Tra uomini vibranti di tensione, rabbia e paura Nitti ci passava tutti i santi giorni della sua vita, ferie escluse. No, non era né questo né quello. Ma qualcosa era di sicuro. Non sopravvivi più di dieci anni in carcere se non sai cogliere certi segnali.

Ricordava ancora lo sgomento dei primi giorni. Aveva deciso di fare la naja nel corpo delle guardie di custodia perché al reclutamento gli avevano promesso: con i detenuti non ci avrai mai a che fare. Figurarsi. L'addestramento reclute consisteva in marce di ore sotto il sole – preparazione indispensabile, com'è noto, alla vita carceraria. Poi, al primo giorno di servizio, via dietro le sbarre, a vedersela con i criminali.

Il momento più difficile all'inizio era la conta al cambio di ruolo. Guardia montante, guardia smontante e capoposto entravano nelle celle e contavano i detenuti. *Undutrequàt-cinsèsettòt-novdiéciundò-trequàtquinsé*: lui faticava a star dietro allo scioglilingua rapidissimo dei colleghi. Il suo compito era controllare che non dimenticassero nessuno e verificare su una lista dove fossero gli assenti: se allo spaccio, se in infermeria, se nei campi a badare al bestiame. Non evasi, insomma. La conta di notte si faceva alle tre e non dallo spioncino: bisognava entrare in ogni cella a controllare che le sagome nei letti fossero uomini veri, non manichini. Ogni tanto le guardie anziane, per vedere se Nitti stava attento, contavano due volte lo stesso corpo disteso. Se lui non li avesse corretti avrebbe dovuto rispondere di un detenuto mancante al cambio successivo. Il messaggio era chiaro: distrarsi non era un'opzione.

E lui non si distraeva, si concentrava, poi tornava a casa con ancora il terrore di avere sbagliato. Col tempo acquisì padronanza e scioltezza. L'esperienza cominciò a insegnargli che quel certo detenuto era lì a quell'ora, quell'altro invece là. Fino a quando anche lui imparò a contare velocissimo, sputando cifre di bocca come trucioli da un trincialegna.

E la domenica, nella piccola chiesa, chinava il capo e univa la sua voce a quella dei colleghi e del cappellano e recitavano insieme.

Dal grigiore delle carceri, ove l'umanità che ha violato le leggi degli uomini espia le proprie colpe, noi vogliamo, o Signore, che il nostro spirito, superando ogni barriera, si avvicini a Te per ricevere fede e costanza nell'adempimento del dovere. Ispiraci, o Madre di Dio, misericordia per coloro che soffrono, così da conciliare in noi il sentimento fraterno e la necessità del dovere. Dacci, o San Basilide, la forza di servire la nostra Patria, i nostri reparti, le nostre famiglie e i fratelli che ci sono affidati. Benedicici, o Signore!

Appena scesi dalla motonave, Nitti aveva scortato in Diramazione Centrale il nuovo arrivato per la registrazione. Gli avevano preso le impronte, dato un numero di matricola, l'avevano spogliato dei suoi effetti personali. Ora l'uomo si stava infilando la divisa carceraria dietro un paravento. Quando ne emerse, vestito di quel pigiama informe color sterco di mulo, aveva compiuto definitivamente la trasformazione in ciò che le guardie, illudendosi che i detenuti non lo sapessero, solevano chiamarli. Quello non era più un uomo ora, né un cittadino, e solo per le istituzioni era un detenuto; da adesso per Nitti Pierfrancesco come per tutti i suoi colleghi era un *camoscio*.

Oggi c'era solo questo pedofilo – o stupratore che fosse – da accompagnare al carceretto cui era destinato; altri camosci nuovi quel giorno non ce n'erano. Nitti si sedette nel retro della campagnola accanto a lui, mentre l'autista faceva grattare le marce sulla frizione e girava il volante sulle curve della strada bianca.

"Che corri?" protestò l'agente di custodia.

Era l'ennesima volta che le loro teste sbattevano contro la fiancata di metallo per un tornante preso con troppa foga.

"Ci ammazzi tutti, così!"

"Magari..." mormorò il detenuto.

Pierfrancesco si voltò di scatto verso di lui. Durante le formalità d'ingresso al carcere, le domande che erano state poste all'uomo prevedevano un'unica risposta, "sì", ed egli aveva sempre e solo annuito. Era la prima volta quindi che Nitti sentiva la sua voce. Era infantile, acuta, petulante. Non c'entrava niente con il corpo tozzo e compatto da cui era uscita. Come se invece che da un uomo ammanettato, per di più in divisa carceraria, provenisse dalla bocca di una bambina viziata, che minaccia capricci e strilli se non le si dà retta.

Nitti Pierfrancesco fissò il detenuto negli occhi, come sperando di trovare un nesso tra quella voce e quel viso. Non ne trovò e sentì il turbamento che si prova davanti a un mistero.

L'uomo non parve dar peso al suo sguardo sconcertato, o forse da una vita era abituato a riceverne. Senza aspettarsi risposta, si rimise nella postura con cui già aveva fatto la traversata: la testa bassa, le forti spalle incassate, gli occhi vuoti puntati a metà strada tra il pavimento e il proprio naso.

L'autista prese male ancora una curva. Di nuovo le teste dell'agente carcerario e del detenuto sbatterono contro la fiancata della campagnola. Questa volta però nessuno dei due disse nulla.

Nitti guardò fuori dal finestrino. Nel cielo s'erano accumulate nuvole scure. Parevano lenzuola di prigione: teli di stoffa ruvida e spessa, di quella che non si strappa mai. Proprio allora il nuovo detenuto si alzò dalla panca con i polsi ammanettati. Rimase in piedi qualche istante in precario equilibrio tra gli scossoni della campagnola. Poi, con un urlo che aveva poco di umano, si avventò addosso all'agente carcerario.

***

Il furgone su cui erano Paolo e Luisa aveva abbandonato la piana e aveva ricominciato a salire. La strada s'avvoltolava su se stessa nei tornanti. Non aveva nulla da invidiare a quelle che si arrampicavano sulle montagne di Luisa, a parte il fatto che non strapiombavano verso la gola di un fiume, o su una vallata, ma su scogliere rosate. Dal lato opposto, la parete di rocce era stata scavata per allargare la carreggiata, ma anche così due mezzi ci passavano appena. L'autista guardò fugacemente l'orologio mentre sterzava, i muscoli delle grosse spalle e delle braccia contratti come palloni. Premette quindi sull'acceleratore, mentre le ruote del furgone sfioravano il bordo del precipizio di scogli. Solo quando fu oltre la curva, vide l'auto che proveniva dalla direzione opposta. Era a pochi metri da loro.

La campagnola avanzava di gran carriera ma virando di qua e di là. Sembrava un toro ferito. Non accennava a rallentare, come sempre quando due mezzi s'incrociavano su quella pista stretta, anzi, puntava proprio diritto verso di loro. L'autista del furgone, con tutta la sua forza, sterzò il volante prima a sinistra, poi a destra, poi di nuovo a sinistra, evitando per un soffio l'impatto frontale. Riuscì così a non far schiantare il furgone contro le rocce né precipitare in mare bloccandosi in mezzo alla strada qualche decina di metri più in là. La campagnola, invece, proseguì sbandando la sua corsa. Per un interminabile momento grattò la fiancata sulla roccia viva con gran rumore di ferraglia, quasi volesse portarsi via un pezzo d'Isola. Solo allora, finalmente, si fermò.

L'autista del furgone non prese fiato neanche un istante: aprì la porta, uscì fuori, corse a vedere.

Pareva che gli occupanti della campagnola li avessero messi in un frullatore. Nessuno era al posto in cui avrebbe dovuto stare. L'autista era incastrato sotto il cruscotto a testa in giù. Nitti era disteso accanto a una delle due panche laterali, il corpo allungato sopra quello prono del detenuto, la bocca a contatto con l'orecchio di lui. Una posizione quasi di tenera intimità, se non fosse che, con la mano a dita aperte, gli schiacciava la testa sul pavimento. E che, come un domatore a un cavallo imbizzarrito, gli gridava: "Oooh, ooh!"

Il detenuto provò ad alzare la testa ma Nitti gliela colpì con un pugno. Poi riaprì la mano e cominciò a sbattergli la faccia su e giù, su e giù, e ogni volta che quello provava a rialzarla gliela schiacciava di nuovo, assorto come un giocatore di basket che palleggia a bordocampo prima di un incontro importante. Si udì un crepitìo: la cartilagine del naso del detenuto che si frantumava.

"Nitti. Dài. Basta."

L'agente sollevò gli occhi e vide l'autista del furgone. Come stupito di trovarsi così, a cavalcioni del detenuto, si fermò.

Intanto l'autista della campagnola era emerso dall'anfratto in cui era finito. Con aria stordita si tirò su e sbatté le palpebre. Poi, con movimenti lenti, uscì dalla parte sana del mezzo, quella verso il mare, l'unica che aveva ancora una portiera degna di questo nome. Dal motore si levava una spira di fumo nero.

Il naso del detenuto aveva preso a sanguinare, macchiando il pavimento della campagnola. Nitti gli ammanettò il polso intorno alla gamba della panca e così facendo si sporcò la giacca di sangue. Poi anche lui si alzò, muovendo a uno a uno i pezzi del corpo come per richiamarli all'appello: gambe, collo, braccia... Sì, c'era ancora tutto. Quando fu in piedi, fece per uscire dal portellone posteriore ma prima si voltò. Il detenuto, immobilizzato con la guancia attaccata al pavimento, lo guardava da sotto in su.

"Brutto inizio" gli disse Nitti con voce piana. "Bruttissimo. Non sai quanto te ne pentirai, di un inizio così."

“Ma che è successo?” chiese l’autista del furgone affacciandosi al retro della campagnola.

Nitti scese a terra con un cauto saltello. Sì, anche le giunture funzionavano ancora.

“Non lo so che gli è preso” rispose. “Ha cominciato a urlare come un pazzo, è saltato su e si è buttato davanti cercando di prendergli il volante.” Indicò l’autista della campagnola.

Questi, zoppicando, li raggiunse sul retro del mezzo.

“Me la sono vista brutta…” fece.

Anche Paolo e Luisa si erano avvicinati, ma nessuno badava a loro.

“Come disse la marchesa dopo aver camminato nuda sugli specchi…” disse l’autista del furgone.

Proprio come le altre volte, l’uomo aveva biascicato la sua freddura piano, senza sorridere, come se non gli importasse nulla di farla sentire. Forse per questo fu accolta da un silenzio perplesso.

Dopo qualche istante di riflessione, però, Nitti sbottò a ridere, seguito poi dall’altro guidatore. Solo allora anche all’autista del furgone s’incresparono le labbra e si unì a loro, cominciando a muovere su e giù le spalle forti. La sua risata alimentò ancora di più quella di Nitti e dell’altro autista, che si mise una mano sul petto con una smorfia di dolore: “Ahi! Non fatemi ridere…” disse indicandosi le costole.

Ma non smetteva, anzi, più ci provava meno ci riusciva, finché gli spuntarono le lacrime, non si sa se per l'ilarità o la gabbia toracica ammaccata.

Paolo fissava i tre, allibito. Stentava a credere che in un momento del genere avesse sentito dire una battuta così… così… insulsa? Volgare? Assurda? In cuor suo cercava l'aggettivo giusto. Ecco: *incongrua*, avrebbe detto Emilia. Ma per una specie di contagio muscolare, si trovò a socchiudere le labbra, a stringere i denti più che in una risata, in un ghigno. Malgrado tutto, s'abbandonò anche lui a quel riso di uomini che avevano temuto di morire e che invece si ritrovavano ancora vivi.

Solo Luisa taceva. Si era avvicinata con Paolo alla campagnola ammaccata e ora se ne stava in piedi, titubante e muta. Si vedeva che avrebbe voluto partecipare alla risata ma che non riusciva proprio a comprenderne il motivo. E vedendola lì che li fissava, uno a uno gli uomini smisero di ridere, a cominciare da Paolo. L'ultimo a tornare serio fu Nitti. Ricompose il viso come si rassetta un salotto dopo una festa.

"Chiedo alla Diramazione Centrale di mandarci un mezzo" disse.

Fece il giro della campagnola e scomparve alla vista degli altri. Gli autisti e i due visitatori restarono a prendersi in faccia le sferzate del vento, muti, senza guardarsi. L'inaspettata confidenza data dal riso li aveva lasciati ancora più estranei e in imbarazzo. Dalla parte anteriore del mezzo provenivano due voci, quella di Nitti e un'altra gracchiante di statico.

"Almeno funziona ancora, la radiotrasmittente" fece l'autista della campagnola.

Non era alto come Nitti, né muscoloso come l'autista del furgone. Dava l'idea di essere stato uno di quei bambini presi di mira dai prepotenti a scuola. Si teneva una mano sotto l'ascella premendosi la costola incrinata.

Dopo un po' le due voci tacquero e Nitti riapparve. Aveva le labbra strette.

"Che dicono?" chiese l'autista del furgone.

Nitti indicò l'interno della campagnola alle sue spalle e il detenuto che vi giaceva immobilizzato.

"Che 'sto camoscio matto dobbiamo portarlo al carceretto con il tuo furgone. Un mezzo da mandarci adesso non ce l'hanno."

"Ma io non posso. Devo portare loro!" L'autista puntò il pollice verso Luisa e Paolo.

"Non farebbero a tempo in ogni caso" disse Nitti. "La motonave sta salpando adesso."

"Come, salpando?" fece Paolo.

"Il capitano dice che non può farsi bloccare qua dal maestrale. Deve tornare in porto."

"E noi? Non può lasciarci qui!" insisté Paolo.

"Ma allora... come torniamo a casa?" disse Luisa.

Tutti la guardarono, come stupiti che anche lei avesse una voce.

Nitti indicò il mare. Era scuro come l'ardesia ma gremito di creste; pareva un prato nero su cui pascola una mandria di bianche creature.

"Tra poco il maestrale andrà in fumo; e allora a casa non ci torna più nessuno."

In quel momento il vento già forte ebbe un'accelerata e li colpì in faccia come un ceffone. Tutti, tranne Paolo. Lui non aveva rivolto il viso alle acque increspate. Stava guardando all'interno della campagnola.

Il detenuto aveva i polsi ammanettati attorno a un tubolare, la guancia sempre schiacciata sul pavimento, il naso da cui uscivano come festoni due bave rosse. Fissava Paolo con occhi sbarrati da vittima sacrificale.

***

Paolo e Luisa erano soli.

In realtà c'era anche l'autista della campagnola distrutta, ma si era rintanato al posto di guida come una chiocciola nel guscio. Da dietro, dov'erano loro, non si vedeva né sentiva.

"Qualcuno deve restarci, insieme a quei due" gli aveva detto Nitti. "Hanno i parenti allo Speciale."

Anche se non era chiaro esattamente che cosa avrebbero potuto fare, non sorvegliati, Paolo e Luisa. Vagare in mezzo all'Isola sferzata dal vento? Fuggire su quel rottame? Organizzare un'evasione? Tuttavia era stato questo l'ordinato della voce metallica dalla Diramazione Centrale: "Non lasciateli soli, per nessuna ragione."

Nitti aveva caricato il detenuto sul furgone, che poi era scomparso oltre la curva a gomito. Non si sapeva quanto ci avrebbe messo a tornare a prenderli.

Luisa e Paolo entrarono nella campagnola per ripararsi dal vento. Mentre saliva, lui mimò la chiusura del portellone.

"Che faccio, lo chiudo?"

Lei scosse appena la testa. Paolo reagì con evidente sollievo al suo rifiuto.

"Sì... Meglio aperto."

Lasciò il portellone socchiuso e si sedette accanto a lei. Luisa scivolò di lato sulla panca di ferro per fargli posto. Ma non ce n'era bisogno, ci sarebbero state quattro persone. Mentre si sistemava lì accanto, Luisa alzò gli occhi su di lui. Paolo notò che intorno alle iridi azzurre aveva un perfetto cerchio nero. *Come un giardino circondato da un muro*, si trovò a pensare.

Restarono seduti in silenzio. Così affiancati, la testa di lui era di poco più alta. Le raffiche di vento colpivano in pieno la camionetta, senza però scuoterla, incastrata com'era sulla roccia. Il retro era sottovento, così l'aria che entrava dal portellone aperto smuoveva i capelli e la gonna di Luisa, ma senza dare fastidio.

Il capo roccioso proseguiva verso l'interno in un susseguirsi di dirupi sempre più scabri. In lontananza, l'Isola culminava in una cima a picco, isolata e quasi alpina. All'altro capo della baia, le rovine di una torre a pianta circolare si ergevano su un promontorio arrotondato e verde. Questo, invece, pareva un pezzo d'Irlanda gettato in mezzo al Mediterraneo. Davanti a loro, la carreggiata seguiva la sottile striscia di terra che separava uno stagno retrodunale dal mare. A ogni ondata, i flutti minacciavano d'inghiottire la strada e ricongiungere le due acque. Non lontano dalla campagnola, sull'ampia pianura prima dello stagno, un gruppo di cavalli selvatici. Stavano immobili, gli occhi semichiusi, con pazienza sconfinata. Erano tutti orientati nella stessa direzione: testa sottovento, posteriore al maestrale.

"Si preparano alla bufera" fece Paolo.

"Fanno meglio le mucche" rispose Luisa.

"'Fanno meglio'?"

"Loro si buttano giù. In terra."

"Se ne intende, di bestie..."

"Be'. Ne ho trentasette."

"Trentasette! Cosa fa, dirige uno zoo?"

"No. Sono contadina." Lo disse proprio così, senza mostrare di aver colto alcuna ironia, come fatto nudo e concreto: non direttrice di zoo, bensì contadina.

"E che animali sono?"

"Dodici mucche. Tre vitelli. Un manzo. Otto galline. Un gallo. Pulcini no, in questo tempo dell'anno. Sei conigli. Due gatti. Tre capre. E un pavone. Un maschio, che fa la ruota."

"Un pavone? Che bello!"

"Sì. È bello. La voce no, è brutta. Ma le penne sono molto belle... Ha mai avuto una penna di pavone?"

"Avuto? Non so. Presa in mano, sì."

"Porta fortuna. Soprattutto l'ultima."

"Qual è l'ultima?"

"L'ultima che cade. Che si stacca dal..." Si indicò con la mano il posteriore poggiato sulla panca. "Ogni anno quand'erano piccoli i miei figli gli correvano dietro e cercavano di..." Chiuse la mano e mimò uno strappo.

"Povero pavone!" disse Paolo.

"No, no, lui era furbo e scappava. Non ci riuscivano mai, a strapparla davvero. Poi la penna cadeva da sola e allora facevano a botte. È mia! No, è mia! L'ho vista prima io! Io l'ho presa! Tutti gli anni la stessa storia. Fino a quando me la portavano e me la regalavano. Solo così smettevano di litigare. Ora sulla credenza ho tante ultime penne di pavone. Per questo sono fortunata."

E alzò le sopracciglia come a dire: "È proprio così."

Paolo non sbarrò gli occhi ma quasi.

"Fortunata?"

Scosse la testa, incredulo. Voltò il capo verso la direzione da cui erano venuti.

"Chi è venuta a visitare qui?"

"Mio marito."

"Suo marito è in un carcere di massima sicurezza e lei... si considera fortunata?"

Luisa si guardò le scarpe, riflettendo. Paolo, con sgomento, si rese conto che anche questa volta aveva preso la domanda alla lettera.

"Be'... sì" rispose infatti pensosa. "Questo, per esempio."

Fece un ampio gesto che includeva la campagnola e il mare che non stavano riattraversando e l'Isola in cui erano bloccati.

"Se capitava qualche anno fa, era difficile. Ma ora i figli sono grandi. Un giorno in più da soli..." Alzò le spalle e le lasciò ricadere con esibita spensieratezza. "Pazienza! Questa è fortuna, no?"

Finì la frase così, con un "no?" interrogativo. Come a lasciare aperta un'alternativa affatto diversa: "mi sbaglio?", "forse non è così?". Con la stessa serietà con cui aveva accolto le sue domande, ora chiedeva a Paolo la conferma di quanto aveva appena detto lei.

Lui si portò una mano alla tempia, strizzò gli occhi e scosse la testa. Si vergognava.

"Mi perdoni. Non avevo nessun diritto di parlarle così."

"Perché? Non ha detto niente di male."

Luisa alzò su di lui uno sguardo in cui non c'era traccia né di offesa né di fastidio.

"Lei chi ha visitato qui?" gli chiese.

“Mio figlio.”
Luisa annuì come se l’immaginasse già.
“Un figlio. È brutto.”

In tutti questi anni, Paolo non aveva mai avuto rapporti stretti con i parenti degli altri detenuti. Ne aveva conosciuti molti, naturalmente. Genitori come lui, padri e madri, ma anche mogli, fratelli, sorelle. Alcuni erano arrabbiati, altri depressi, quasi tutti disperati. Certi erano posseduti da una specie di furore, un’energia febbrile che in Paolo provocava quasi invidia. Figli di detenuti, invece, ne aveva conosciuti pochissimi e per lo più in tenera età. Coloro che avevano imboccato quella via – clandestinità prima, galera poi – l’avevano fatto da giovani se non da ragazzini: solo pochi avevano avuto il tempo, prima, di riprodursi. L’oggetto di ogni loro tenerezza e cura era la lotta armata che, a differenza di un bambino, poteva essere allevata anche in appartamenti affittati sotto falso nome. Nei parlatori delle carceri ogni tanto c’era qualche piccolo, cresciuto da nonni sgomenti per l’enormità di ciò che era accaduto alla loro famiglia. Figli adulti di carcerati, invece, Paolo non ne aveva incontrati mai.

Più volte alcuni parenti di detenuti politici l’avevano invitato a unirsi alla loro associazione. Lui si era sempre sottratto accampando scuse poco credibili e vaghe che avevano provocato, ne era consapevole, diffidenza e imbarazzo. Non che non apprezzasse il loro lavoro.

Erano spesso gli unici a denunciare le condizioni di vita nelle carceri: i periodi d'isolamento prolungati oltre ogni legittimo motivo, la privazione arbitraria dei contatti con l'esterno, il sovraffollamento, le celle a volte prive anche dei minimi requisiti igienici. E soprattutto si battevano contro la legislazione di emergenza, che consentiva l'imputazione di reati gravissimi (banda armata, attentato per finalità terroristica o eversiva) a gente che magari aveva solo preso in custodia documenti di cui ignorava il contenuto, o ospitato un amico di amici per una notte, o il cui numero di telefono era stato ritrovato sull'agenda sbagliata.

Paolo ne conosceva parecchi, di casi in cui lo Stato aveva agito con burocratica ferocia. La moglie di un latitante, ad esempio, che una notte si era vista piombare in casa i carabinieri: a sua insaputa il marito aveva nascosto armi nella culla del figlio neonato. Fu portata in caserma, mai più rilasciata e in seguito condannata a trent'anni per favoreggiamento. Il bambino venne affidato ai servizi sociali. Per molte settimane dopo l'arresto la donna aveva continuato a tirarsi i capezzoli e massaggiarsi il seno, mentre il latte le macchiava la divisa da detenuta. Del marito non seppe più niente. Anni dopo fu avvistato, pare, in un Paese tropicale. Lei prese a parlare con gli angeli che, sosteneva, la visitavano in cella ogni sera.

Quando Paolo veniva a conoscenza di queste storie, grondanti sofferenza come liquame dalla carne marcita, provava un solo desiderio: starne lontano. Fuggire nel proprio unico, privato dolore. Acuto, forse insopportabile, ma almeno familiare. E allora si metteva a sfogliare le foto. Di Emilia giovane sposa. Del figlio bambino con la prima cartella in mano. Di loro tre felici nel giardino di Framura. Immagini del paradiso che gli permettessero di misurare, con esattezza implacabile, l'abisso della caduta.

Poi c'erano i parenti che nessuno incontrava, quelli che non si vedevano nei parlatori, né sulle panche dei tribunali. Il padre di un compagno di cella di suo figlio, ad esempio, un dirigente del maggiore partito di opposizione. Quando il ragazzo uscì da un periodo d'isolamento lunghissimo, scrisse ai genitori: "Mamma, papà, non ricordo più chi sono, vi prego, venite qui, aiutatemi a ricordare." Ma neanche allora il padre andò a visitare il figlio carcerato, e lo proibì pure alla moglie.

Paolo era l'unico, tra i parenti dei detenuti, a non giudicarlo con disprezzo. Gli altri ne parlavano come di un uomo d'apparato, un politico che pur di proteggere il suo partito da accuse di contiguità con il terrorismo ignorava i suoi doveri di genitore. Paolo non riusciva a vederla così. Lui, che aveva presenziato in aula a ogni grado di giudizio nei processi contro il figlio, che era andato in carcere tutte le volte che l'amministrazione gliel'aveva consentito, che non si sa quante domande aveva fatto per permessi di visita aggiuntivi, che insomma non avrebbe potuto comportarsi in modo più diverso da quel padre, ebbene, per lui provava comprensione. Quante volte aveva desiderato porre tra sé e il figlio un muro, un fossato, un mare, un oceano, una distanza siderale, qualsiasi cosa insomma pur di non doverci avere più niente a che fare. Non poteva sentirsi migliore solo perché, a differenza di lui, quello c'era riuscito.

A parte questi casi isolati, quasi tutti i parenti dei detenuti facevano parte dell'associazione. Si battevano per condizioni di detenzione più dignitose e umane, per il rispetto dei diritti giuridici elementari, che poi era il rispetto della Costituzione. Non si poteva non essere d'accordo con loro, e Paolo lo era. Ma dalla morte di Emilia non riusciva più a trovare dentro di sé la forza per quasi niente, figuriamoci per quell'attivismo in cui percepiva il rifiuto di ammettere l'altra metà della storia. Ovvero il motivo, la ragione, la causa primaria per cui quei figli, mariti e fratelli erano in galera. Era un rifiuto a volte rabbioso, altre dolente, sempre umano, ma a lui estraneo – e gli veniva da dire: *purtroppo*. Paolo non riusciva a condividere con quei familiari la convinzione che l'unico colpevole di soprusi e violenze fosse lo Stato che teneva i loro cari incarcerati.

La ragione per cui suo figlio stava in galera, invece, Paolo l'aveva sempre presente. Anzi, l'aveva sempre con sé, nel portafoglio. La foto della bambina con il cappotto scuro vigilava affinché lui non la dimenticasse mai.

Paolo si volse verso la donna che gli sedeva accanto nella campagnola.

Un figlio. È brutto.

Così lei gli aveva detto. E Paolo aveva sentito un fiotto caldo che gli si spargeva tra le costole. Non avrebbe saputo spiegare perché, o forse sì. Negli anni le persone gli avevano offerto consolazione, pietà, qualche consiglio – perfino a un uomo la cui moglie s'è lasciata morire perché il figlio è un assassino, c'è chi dispensa consigli. Nessuno finora, però, l'aveva mai fatto sentire così compreso, con così tanta semplicità.

"Sì" disse, "è brutto."

Gli uscì uno dei suoi involontari sospiri sonori. Seppure di poco, gli fece sentire il petto più leggero. Non era mai successo prima.

Un figlio. È brutto.

In effetti, non c'era proprio altro da dire.

***

Luisa visitava prigioni da molto più tempo di Paolo. Erano passati quasi dieci anni dalla notte in cui tre carabinieri le avevano portato via, insieme al marito, tutto quello che credeva di sapere della sua vita. Aveva aperto la porta lui. Quando il più alto in grado gli aveva chiesto se fosse quello il suo nome, aveva risposto: "Sì."

Aveva preso il cappotto, se l'era infilato, aveva offerto i polsi alle manette. Non uno sguardo, non una parola – di spiegazione, consolazione, scuse, rabbia, una parola qualsiasi – a lei che era in piedi con la bocca socchiusa, le palpebre gonfie di sonno che sbattevano come uccelli ingabbiati. E poi non c'era più, e con lui anche i tre uomini in divisa erano svaniti come un brutto sogno, usciti dalla porta che nessuno aveva richiuso. Luisa, irrigidita per il gelo che entrava dall'aia innevata, riusciva solo a pensare che quello era un incubo. Per forza. Doveva essere diventata sonnambula, come dimostrava il corpo che non rispondeva.

Quando riuscì di nuovo a muoversi andò a sedersi in cucina. Cominciò a scorrere le dita sulle nervature del tavolo d'abete, poi a contarle. Non era un compito facile: le linee erano sottili, poco nette. Doveva seguirle con l'indice se non voleva perdere il filo e ricominciare il computo ogni volta da capo. Luisa si diede un metodo: arrivata ai multipli di dieci si fermava un istante prima di continuare. Per molte ore, solo questo ci fu: il tavolo, le venature, i numeri scanditi dalle labbra socchiuse.

La casa era immersa nella pace densa dei bambini addormentati. L'arresto era stato così rapido e quieto che nessuno dei cinque figli si era svegliato.

Pochi giorni dopo, i carabinieri convocarono Luisa in caserma. Volevano capire meglio chi era suo marito.

Ammazzare a mani nude un uomo non è una cosa facile, neanche da ubriachi. Le chiesero che persona era.

Luisa non raccontò della gita in montagna in cui lui l'aveva quasi buttata nel precipizio. Né delle volte che alla vicina aveva detto di essere inciampata, di aver sbattuto nello spigolo della credenza, di non aver visto una trave proprio all'altezza dello zigomo destro. Non raccontò di quando Ciriano, ancora bambino, si era nascosto dietro di lei con il padre che lo inseguiva, e Luisa gli aveva fatto da scudo. Letteralmente: scudo con la faccia, poi scudo con il petto, infine scudo con il resto del corpo quando ormai era caduta per terra ed era il bambino che ora cercava di fermarlo insieme alla sorella maggiore accorsa alle grida. Anna e Ciriano erano ancora piccoli ma si erano aggrappati da dietro a quella montagna di uomo che era il padre perché la smettesse di prendere a calci la mamma. E infatti aveva smesso.

Era rimasto in mezzo alla stanza con le braccia lungo i fianchi, si era messo a piangere, l'aveva aiutata a rialzarsi, aveva cercato di abbracciare i due bambini. Loro però erano scappati via e allora lui aveva stretto tra le braccia la moglie implorando perdono. Lei si era alzata e barcollando aveva detto solo: "Vai a mungere. Tra poco è ora di cena."

Non furono queste le cose che raccontò ai carabinieri. Ne disse altre, non meno vere.

"Lavora tutto il giorno."

"Non ci fa mancare niente."

"È onesto."

Narrò di quella volta che lei aveva acquistato una scopa da un ambulante che andava di casa in casa. Tornata in cucina, si era accorta che l'uomo le aveva dato dieci lire di resto in più del dovuto. Con dieci lire ci si comprava una caramella, forse due. Il marito aveva preteso che Anna, che all'epoca aveva sette anni, corresse giù per la strada dietro al venditore per ridargli la sua monetina.

Quando la lasciarono tornare a casa dalla caserma, Luisa si prese i bambini nel letto. Tutti quanti, non solo i più piccini. Anna aveva undici anni, Ciriano dieci, Maddalena sette, Irene cinque, Luca due. Voleva stringerseli al petto, uno a uno, aspirarne l'odore come quando li allattava. I tre minori s'intrufolarono nelle pieghe delle sue braccia mentre i due grandi si scambiavano sguardi perplessi: erano anni che la madre non li prendeva più in braccio. Le si accoccolarono addosso quindi con un vago imbarazzo, ma anche inaspettato piacere. Solo in questo momento Luisa si rese conto che, finché il marito restava in carcere, non avrebbe più diviso quel letto con lui. E provò un indicibile, oscuro sollievo.

Il mattino dopo c'erano vacche da mungere, panni da lavare, figli da nutrire. Luisa si bagnò il viso, si raccolse i capelli, si mise al lavoro. Trafficò tutto il giorno come se questo lei l'avesse sempre saputo. Come se il mattino del matrimonio, quando gli amici dello sposo avevano rapito lei, la sposa, e i suoi parenti erano corsi a salvarla tra squilli di clacson e grida e risate; come se quando la cugina più piccola aveva portato all'altare gli anelli su un cuscino; come se durante la promessa davanti a Dio e agli uomini che sì ti prendo finché morte non ci separi; come se in ognuno di questi momenti Luisa avesse saputo e messo in conto e previsto tutto. Ovvero che l'uomo che stava sposando un giorno sarebbe stato condannato a decenni di carcere per avere ammazzato a mani nude un uomo con l'aggravante dei "futili motivi" – così disse la sentenza. E che, dopo qualche tempo, di decenni di galera se ne sarebbe presi ancora altri per aver ucciso un agente carcerario "nell'espletamento delle sue funzioni". Come se quindi non ci fosse ragione di protestare, lagnarsi o indignarsi ma solo di fare quanto necessario: dare il fieno alle bestie, vendere il latte, mantenere puliti i cinque figli, e tutto senza un marito.

Ormai erano quasi dieci anni che lo faceva.

***

Paolo si accorse che la donna lo stava guardando in viso.

"Lei è maestro?" chiese Luisa.

Paolo alzò le sopracciglia. La fronte gli si riempì di pieghe come un lenzuolo steso male.

"Si vede tanto?"
"Che ha studiato? Sì."
"E da cosa si vede?"
Luisa lo fissò con l'espressione di un pittore che studia la sua tela. Paolo non si sarebbe stupito se si fosse alzata e avesse fatto un passo indietro per valutare meglio le sue sembianze. Ma erano seduti sulla panca di una campagnola del corpo degli agenti di custodia e dietro di lei, oltre il portellone aperto, c'era solo l'Isola presa a schiaffi dal maestrale. Rimase seduta.
"Non so. Ma si vede."
"Facevo il professore di storia e filosofia al liceo."
"Filosofia... È difficile!"
Lui sporse il labbro inferiore.
"Mah... Dipende. Comunque, io la preferisco alla storia."
"Perché?"
"La storia si fa con le armi. La filosofia con le idee."
"E ora?"
"Ho smesso. Sto a casa."
"È in pensione?"
"No."
Lei gli piantò di nuovo in faccia quei suoi occhi chiari. Paolo pensò: *Se è rivolto a me o ai cavalli o al mare, il suo sguardo non cambia, e comunque ora mi chiederà spiegazioni.*
E invece: "Mi pareva troppo giovane per un pensionato. Cosa fa durante il giorno?"

Paolo guardò fuori dal portellone. La pioggia ventata aveva cominciato a scrosciare. Per coprire il frastuono delle gocce sul tetto della campagnola dovette quasi gridare.

"Leggo. Cammino. Mia sorella mi ha regalato un cane. Ecco: porto a spasso il cane. Quando mi danno un permesso, vengo da mio figlio."

"E adesso dov'è?"

"Be', questo lei lo sa."

"Cosa?"

Lo sguardo della donna si velò di nuovo di quella fissità. Eppure Paolo era certo che non si trattava di scarsezza d'intelletto o disagio per la conversazione.

"Dico: l'unica cosa che lei sa di me è dov'è mio figlio."

"No. Non suo figlio. Il cane."

"Ah... A casa."

"Oggi chi gli dà da mangiare?"

"Quando parto, lo lascio a mia sorella. Per fortuna di animali ne ho uno solo, non trentasette." E le sorrise.

Lei non ricambiò. "Sì, uno solo è più facile."

Ecco cos'era, pensò Paolo: una specie di sordità all'ironia, all'iperbole, alla sfumatura. E anche a quegli abissi minimi che sono i malintesi. Come quello sul cane, ad esempio.

"Oh...!" esclamò improvvisamente Luisa. Aveva indicato così di scatto oltre il portellone che pareva voler lanciare fuori il dito.

Subito fuori della campagnola, a pochi metri da loro, c'era un cinghiale maschio. Il sottopelo già invernale, fradicio di pioggia, gli si era appiccicato alla cotenna. I crini eretti e duri gli ispessivano talmente il collo che la testa sembrava tutt'uno con il torso a barile. Dalla punta dei canini superiori stillavano gocce di pioggia, come da due stalattiti. Aveva il grugno rivolto dentro la campagnola e li fissava con occhi piccoli ma inaspettatamente dolci, quasi da cane.

Paolo e Luisa trattennero il respiro. Nell'aria si era diffuso un afrore di pelo bagnato, fango e fiato marcito. Il cinghiale era inquadrato dalle ante del portellone come il ritratto di un antenato dalla sua cornice. Restò lì per lunghi istanti ad annusare l'aria, il grugno alto, come incuriosito da quell'odore umano. Poi, dopo un po', girò con indecifrabile grazia sulle gambe corte, rivolse loro il posteriore gobbo e, trotterellando, scomparve dalla visuale.

Luisa e Paolo si guardarono. Entrambi respiravano a fondo, come se fossero appena riemersi da un'apnea. La pioggia sempre più forte martellava la campagnola con fragore. Passò qualche minuto e ancora nessuno dei due parlava. Ma non era il tacere imbarazzato tra sconosciuti che non sanno più di che conversare. Era il silenzio rilassato, quasi intimo, di chi ha condiviso un'emozione.

Che però venne interrotto da una botta violenta sulla fiancata della campagnola. Luisa e Paolo sussultarono.

"È tornato..." bisbigliò Luisa.

Paolo si portò un dito alle labbra. Un altro fortissimo colpo li fece sobbalzare. Luisa si mise una mano al petto impaurita. Forse il cinghiale ci aveva ripensato e aveva deciso di attaccarli? Ci fu un altro colpo, un altro e un altro ancora. Diventarono una gragnola.

Luisa si alzò scomposta e si rifugiò verso l'interno del veicolo. Paolo si allungò per chiudere le portiere più veloce che poteva. Ma prima che riuscisse a farlo, apparve una testa che urlava.

"Presto! Venite!"

L'autista del furgone, in piedi sotto la pioggia, pareva il gemello umano del cinghiale: anche lui tozzo, quasi senza collo, con le gocce che gli stillavano dal naso proprio come dalle zanne del suino. Perfino la lana bagnata della divisa dava un odore simile, un po' di selvatico. Luisa e Paolo si scambiarono uno sguardo di sollievo.

"Be'? Che c'è?" fece l'autista con impazienza. "Andiamo."

Il frastuono della pioggia sul tetto di lamiera era così forte che non avevano sentito l'arrivo del furgone che adesso era lì accanto. L'agente Nitti, in piedi sotto il diluvio davanti al posto di guida della campagnola, stava battendo sulla fiancata e urlando improperi: l'autista ferito si era appisolato, e finché non si svegliava, chi l'avrebbe caricato sul furgone?

Paolo e Luisa corsero sotto la pioggia, salirono a bordo. Sul pavimento intorno ai loro piedi si formò una pozza. Nitti aiutò l'autista ferito a salire, poi entrò a sua volta con un balzo e si richiuse alle spalle la portiera. Si tolse il berretto zuppo, si asciugò la fronte, diede un'ultima pacca sulla fiancata.

"Vai!" disse.

Il furgone si rimise in moto e si allontanò. La campagnola ammaccata rimase lì, abbandonata. Dalla Diramazione Centrale, prima o poi, qualcuno sarebbe venuto a prenderla con il carro attrezzi. O almeno si sperava.

***

Era il direttore del carcere ma per tutti era solo "il Dottore". Né alto né grosso, quel che gli mancava in volume lo compensava in peso specifico: aveva la presenza di uomini ben più possenti. Poiché ci teneva a essere subito compreso, sulla scrivania teneva come fermacarte una pistola. Carica o no?, erano costretti a chiedersi tutti coloro che gli sedevano davanti. Solo lui sapeva la risposta ed era ben visibile quanto questo gli desse piacere. Non guardava l'agente di custodia che gli stava di fronte bensì le proprie unghie. Parlò con una voce granulosa come sabbia da costruzione.

"E ora che ne facciamo? Non siamo mica un albergo."

“Questo glielo dico sempre anch’io, ai camosci…”

“Fai poco lo spiritoso, Nitti. Mi hai messo nella merda.”

“Dottore, ma che c’entro io?”

“Dovrei darti una punizione.”

“Mica l’ho salito io il maestrale!”

“Ti sei fatto fregare da uno che si scopa i bambini. Se non vi andavate a schiantare quelli non la perdevano, la motonave. Ora che facciamo, li lasciamo in giro a fare i turisti? A dare un aiutino per un’evasione?”

“Ma no, quelli non ci pensano alle evasioni! È gente tranquilla.”

“Bravo, Nitti. Tu sì. Tu ci capisci. Vedi una volta in faccia le persone e sai. Se sono brava gente, se sono criminali. Dovresti farli tu i processi.”

“Quei due non li ha processati nessuno. Sono parenti, non detenuti.”

Il Dottore finalmente alzò gli occhi.

“Ah. Che secondo te è tutta un’altra cosa.”

Nitti pensò a quella volta che lui il Dottore l’aveva sognato. Per l’intera notte l’aveva preso a pugni e calci, gli aveva pestato le mani con gli stivali, gli aveva pisciato in faccia. S’era svegliato di ottimo umore.

Non gli rispose.

“Ne sarai responsabile finché s’imbarcano sulla motonave” fece il Dottore, tornando a concentrarsi sull’unghia del mignolo destro.

"Ma il mio ruolo è finito da tre ore. Sono di riposo fino a domani!"

"Bene, allora siamo d'accordo. Il tempo ce l'hai."

Di nuovo Nitti fece per dire qualcosa ma tacque.

Quando era arrivato all'Isola dieci anni fa c'era un altro direttore, quello che per fargli un favore l'aveva messo tra gli stupratori. Questo direttore s'era portato la moglie e lei s'annoiava. Prendeva il fuoristrada del marito, guidava su e giù per l'Isola finché trovava un gruppo di sconsegnati che lavoravano nei campi. Allora scendeva e cominciava a fare domande. *I tuoi stanno bene? Ti servono abbastanza da mangiare? Come va la salute?* Parlava come un prete ma vestiva come una puttana: portava certe gonne poco più grandi di cinture che scoprivano le cosce e pure il resto, si strizzava le tette in minuscoli golfini. Quando i camosci la vedevano, non capivano più niente. *Sì sì, tutto a posto, a casa va bene grazie, devo andare dal dentista* e non le schiodavano gli occhi dalla scollatura. Dopo quelle visite erano nervosi, non la smettevano più di litigare, cercavano d'infilarselo l'un l'altro nel culo e per giorni, di sera, il carceretto pareva ondeggiare, da tante seghe si facevano in contemporanea. Per la prima volta Nitti si trovò a considerare come una scocciatura una donna che te la sbatte in faccia.

Era il periodo in cui guardava le luminarie della raffineria ancora nostalgico di terraferma. Una volta, quand'era a casa in licenza, aveva spedito un telegramma dall'ufficio postale del suo paese. L'indirizzo era quello che scrivevano i parenti dei detenuti, ma aveva anche aggiunto: ALL'ATTENZIONE PERSONALE DEL DIRETTORE. Il testo faceva: DISPONGASI TRASFERIMENTO AGENTE NITTI PIERFRANCESCO – ARRIVA SOSTITUTO RISPONDENTE NOME ADRIANO CELENTANO. L'impiegato era uno con cui aveva fatto le elementari. Stava per mettere il suo nome come mittente ma Nitti lo fermò e gli disse: "No. Metti: MINISTERO DI GRAZIA E GIUSTIZIA."

"Ma sono cinque parole!" protestò quello. "Ti costerà una fortuna."

"Allora fai una parola sola."

Arrivarono all'Isola insieme: il telegramma dall'ufficio postale, lui dalla licenza. Il direttore si mise a ridere, soprattutto quando lesse MINISTERODIGRAZIAEGIUSTIZIA, tutto attaccato. Il trasferimento però non glielo diede lo stesso.

L'ottenne lui, invece – il direttore. Era venuto a sapere delle gite della moglie e aveva chiesto di dirigere un carcere tradizionale. Un posto dove i detenuti fossero ben chiusi nelle loro celle e dove una donna non potesse passare a farci due chiacchiere, così per caso.

Nitti guardò il Dottore. Sua moglie non abitava sull'Isola. Che nome dessero a quella del direttore precedente si può facilmente immaginare; questa invece la chiamavano "la Zarina". Quando veniva a trovarlo dava la mano solo al prete, alla guardia medica e al capitano della motonave – mai agli agenti di custodia, figurarsi ai detenuti. Che non trovasse insopportabile vivere lontano dal marito, del resto, non sorprendeva nessuno. Una volta ci fu un *disgusto* nel carcere speciale, le guardie chiamarono i rinforzi e il Dottore andò a parlamentare con i detenuti in agitazione. Gli agenti lasciarono che i camosci gli dessero una bella sediata in testa, prima d'intervenire.

No, nessuno amava il Dottore. Se Nitti avesse mandato a lui il falso telegramma, altro che risate. Un anno di ruoli di notte, avrebbe dovuto fare. Però una cosa andava detta: nelle carceri che aveva diretto lui non era mai stato ammazzato nessuno. Non una guardia, non un detenuto. In tempi di ferro e violenza come quelli, era un successo impossibile da negare.

"Mettili a dormire nel Palazzo di Vetro" disse il Dottore a Nitti. "Una stanza finita lì c'è. Portaceli con una camionetta e molla il furgone. E di' a tua moglie di fargli da mangiare."

Nitti lo fissava con occhi stretti da cecchino.

"Sì, Dottore."

Girò sui tacchi e fece per uscire. Era già con la mano sulla maniglia quando il Dottore lo richiamò.

"Nitti. Di chi è quella macchia che hai sulla giacca?"

"Del detenuto. Quello che ha fatto il matto. Ho dovuto farlo star buono."

Il Dottore scosse la testa, pensoso.

"Ma quanto sangue che abbiamo, dentro la faccia."

Fuori nel corridoio Paolo e Luisa aspettavano come ne è capace solo chi ha molto frequentato la burocrazia: in piedi, senza appoggiarsi al muro, all'erta per seguire ogni sviluppo ma consapevole di essere alla mercé altrui.

"Vi porto al telefono a gettoni" disse Nitti. "Per avvertire a casa, se volete."

"Per favore, sì" disse Luisa.

"Grazie, io non ne ho bisogno" disse Paolo.

Nitti si girò. Per la prima volta, lo fissò a lungo in viso.

***

La pioggia era cessata ma il vento stava raggiungendo forza di uragano.

I flutti si andavano a frantumare nel porticciolo, proprio là dove al mattino era arrivata la motonave. Tra un'onda e l'altra non esistevano risacca o tregua: una dopo l'altra esplodevano in uno sbotto di spuma addosso al molo, poi con un rombo lo sommergevano.

Più che furia, quella dei marosi sembrava cattiveria.

I due piccoli gozzi, che qualche ora prima erano attraccati alle bitte lungo la banchina, erano stati tirati a secco sulla scesa a mare in cemento. Sembravano cetacei spiaggiati e inermi, e l'acqua turbinosa li insidiava come per riappropriarsi di una cosa sua. L'aria densa sapeva di alghe e metallo. Il cielo cupo mandava bagliori viola.

Non c'erano persone sulla strada che attraversava il piccolo paese di case bianche, né uccelli in cielo. Forse, chissà, nemmeno pesci in mare. A Paolo non parve impossibile che le creature viventi fossero tutte scappate davanti al fortunale. Come se le uniche rimaste fossero lui, la donna e quell'agente di custodia che ora li accompagnava.

Si chiese se anche suo figlio stesse ascoltando la bufera. Con quanta forza penetra il vento in una cella di prigione? Con uno spiffero? Una folata? Quando l'aria percuote la terra a quaranta nodi, quanta se ne insinua oltre i bracci, le mura spesse, le bocche di lupo? E il mugghio del mare, quel battere di liquido scagliato sul solido con massima potenza: ce la fa, almeno quello, a intaccare il silenzio vischioso di un carcere a regime speciale? Se non altro durante le tempeste, ci riescono gli elementi a raggiungere chi è condannato, appunto, a non sentirli più? Chi passa anche la cosiddetta ora d'aria con una rete di ferro sopra la testa, in spazi più simili a stie che a cortili.

Paolo non ne aveva idea. Nei parlatori, soprattutto quelli dei penitenziari normali, le finestre c'erano, spesso perfino ampie, sebbene offese da grate. E i parlatori, lui, li conosceva fin troppo bene. Una cella, no. Lì non c'era mai stato.

Così come non gli era mai successo di sostare a lungo nei paraggi di un carcere dopo aver visitato il figlio. Alla fine dei colloqui si affrettava sempre a ripercorrere il tragitto, in genere lungo e complicato, che l'avrebbe riportato a casa. Ogni volta usciva quasi a passo di corsa dai cancelli di ferro, tutti diversi, tutti uguali, tutti ineluttabili, che gli si richiudevano alle spalle. Non dava mai un ultimo sguardo alle torrette, al filo spinato, ai muri di cinta. Affrettava il passo da quegli edifici generalmente in periferia, camminava al bordo di strade deserte accanto a cartacce ed erba alta, senza voltarsi mai, come se fosse lui il ricercato. Finché arrivava alla stazione delle corriere o dei treni di quelle cittadine di provincia che non avrebbe mai avuto motivo di visitare se suo figlio non fosse un pluriomicida e se qualche autorità politica presente o antica non le avesse scelte per costruire luoghi di pena con evidenti vantaggi per la forza lavoro locale. E infine saliva sul mezzo che l'avrebbe portato via, via da lì.

Lì dove sarebbe tornato di nuovo alla prima data concessa dall'ordinamento penitenziario.

Oggi no. Si rese conto che per la prima volta da molti anni avrebbe passato non lontano dal figlio parecchio tempo, forse giorni, o almeno finché soffiava il maestrale. Solo una manciata di chilometri li separava; era sulla stessa lingua di terra emersa dal mare che poggiavano i piedi. Quella tempesta li univa come non era più successo da quando il figlio era entrato in clandestinità. Forse anche da prima.

Si ricordò di quando gli insegnava a nuotare, a Framura. Il bambino si avventurava nel mare calmo d'agosto e ogni tanto si sosteneva alla spalla del padre concedendogli la propria incondizionata fiducia. Talvolta un suo piede, o dito, o gomito, sfiorava la pelle nuda di Paolo sotto il pelo dell'acqua. Ma l'unico contatto tra loro era quasi solo quella manina poggiata a coppa accanto al suo collo. In quei momenti, lui sentiva il proprio corpo ancora più unito a quello del figlio di quando lo avvolgeva tra le braccia per aiutarlo a dormire. Le stesse increspature dorate che li tenevano separati erano ciò che li collegava, in una comunicazione che aveva qualcosa di assoluto. E poi – lo sapeva anche senza doversi voltare – sulla spiaggia c'era Emilia. Senza distaccare mai lo sguardo da loro, in piedi sui ciottoli, la mano che si parava gli occhi dal sole pomeridiano, era inclusa, anche lei, in quell'unione.

Ora, dopo decenni, Paolo sentiva che di nuovo, misteriosamente, gli elementi lo collegavano al figlio in galera. Erano entrambi attorniati dal fragore dei marosi sulla scogliera, respiravano la stessa aria vibrante di iodio, erano frustati dallo stesso vento – o almeno, lo erano Paolo e i muri spessi che circondavano il ragazzo. E con familiare sensazione di sgomento, sollievo e dolore, sentì quanto inestirpabile fosse l'amore che ancora provava.

La donna aveva di nuovo rivolto il suo sguardo trasparente su Paolo. Doveva essergli scappato un altro di quei gemiti involontari. La camionetta s'era fermata davanti alla chiesa intonacata, nello slargo che fungeva da piazza in mezzo al grumo di case accanto al molo. Erano tutte a un solo piano, gli angoli smussati dall'intonaco a calce, l'età indefinibile di ciò che è costruito da sempre nello stesso modo.

Nitti cercò di aprire la portiera ma era come lottare contro un'invisibile mano dalla forza sovrumana. Dovettero uscire dall'altro lato, quello sottovento. L'aria era diventata quasi una cosa solida su cui era necessario appoggiarsi per non cadere. A fatica, il busto obliquo, percorsero i pochi metri fino a una porta attorniata da una frenesia di brattee rosso cardinale – una pergola di bouganville flagellata dall'uragano.

Dentro c'era lo spaccio del paese. Zucchero, pasta, patate, conserve, cipolle, sigarette, sottaceti erano ammucchiati nel piccolo vano in sacchi, ceste, scatoloni, su scaffali strabordanti. Un uomo stava dietro il bancone. Era esile e scuro, sembrava fatto di fil di ferro.

"Traina, hai gettoni?" gli chiese Nitti entrando.

Neanche l'uomo lo salutò. Rivolse a Luisa e Paolo lo sguardo di chi è a casa sua e lì non vede spesso facce nuove. Un misto di curiosità e orgoglio padronale.

"Chi sono?"

"Visitatori. Hanno perso la motonave."

"Ah."

L'uomo aprì con uno scatto il portamonete sotto la cassa. Estrasse una manciata di gettoni.

"Quanti?" chiese a Nitti. Non guardò i due che lo fissavano, silenziosi.

L'agente carcerario si voltò verso Luisa.

"Quanti ne vuole?"

Lei fece un piccolo passo avanti, da scolara che risponde all'interrogazione.

"Due, tre..."

"Sicura che bastano?"

"Sì."

"Dagliene quattro" fece Nitti all'uomo. "Non si sa mai."

L'uomo contò le monete facendosele cadere nel palmo della mano.

"Uno, due, tre, quattro, cinque. Non va bene se la linea cade prima dei saluti."

Traina porse le monete a Nitti che a sua volta le mise nel palmo a Luisa. Tutti parevano accettare che l'agente carcerario facesse da tramite nella transazione.

Le indicò un piccolo vano in fondo dove c'era un telefono a muro.

"Di là."

Luisa seguì la direzione del suo dito e si chiuse nella cabina. Paolo, Nitti e l'uomo rimasero in silenzio. Il vento fuori fischiava. Oltre la porticina si sentiva il girare meccanico del disco che componeva il numero, poi la voce animata di Luisa che parlava con i figli.

Traina guardò Paolo.

“Lei, intanto. Quanti gettoni vuole?”

Nitti s’intromise.

“Perché, te li ha chiesti?”

“Mi hai detto che…”

“Io non ti ho detto niente. Lui non li vuole. Non li vuole vero?”

La domanda era rivolta a Paolo, che infatti scosse la testa con le palpebre semichiuse.

“No, grazie.”

“Non vuole chiamare casa?” fece incredulo Traina alzando le sopracciglia spesse.

“No.”

“Ma poi si preoccupano…” Lo disse con riprovazione e sconcerto.

“Lascialo in pace!” Nitti alzò la voce. “Lo saprà lui, no?”

“Come volete” fece Traina, e richiuse il cassetto delle monete con disinteresse plateale.

Luisa non si sentiva più. Un rumore di monete che cadono nell’apparecchio, poi la donna uscì dalla cabina. Aprì il palmo, lo mostrò a Nitti. Dentro c’erano due gettoni.

“Me ne ha dati troppi, il suo collega.”

Nitti e Traina si scambiarono un’occhiata. Esibirono entrambi un’espressione di schifo.

“Collega?” disse Traina. La bocca aperta rivelava da tutt’e due i lati un buco, al posto dei premolari.

“Collega!” disse anche Nitti con un ridere nella voce. “T’ha preso per un secondino!”

“Non è detto” ribatté con dignità Traina. “Magari ha preso te per un ergastolano.”

Luisa si voltò perplessa verso Paolo.

“Un ergastolano mica può uscire…”

Paolo scosse la testa come a dire: “No, in effetti.” Tacque però, perché anche lui non riusciva a capire la situazione.

“Ah, tranquilla, lui da quest’isola non esce di sicuro!” fece Nitti a Luisa. “Ma è stato tanto bravo e ora in premio può vendere gettoni. E comunque una vita non gli basta, di ergastoli ne ha tre.” Si rivolse a Traina. “O erano quattro?”

Luisa si fissò la punta delle scarpe, imbarazzata. La soccorse Traina che a quella sceneggiata doveva esserci abituato. O comunque non ne pareva infastidito.

“Io sono innocente” disse Traina, ma con il tono di uno che dice “oggi piove”. “E nemici al mondo, Dio sia lodato, non ne ho…”

“Non ne hai più, vuoi dire” rispose Nitti.

“… E vivo in pace col mondo.”

“Eh sì, dev’essere bello aver finito la lista di quelli che devi ammazzare. Be’, Traina, ti saluto.”

“Pace e bene anche a voi” disse Traina voltando loro la schiena e si mise a sistemare lattine su uno scaffale.

Nitti si avviò all'uscita alzando il mento verso i due visitatori, a mo' di richiamo.

"Andiamo?"

Aprì la porta. Entrò un turbine d'aria che fece cadere dal bancone un paio di scatole di biscotti, scompaginò la carta da pacchi appesa a un gancio, agitò la lampadina che penzolava nuda.

Paolo e Luisa si affrettarono a seguire fuori l'agente carcerario e a chiudersi la porta alle spalle. Dovettero di nuovo fendere il vento per tornare alla camionetta. A bordo, questa volta, Luisa e Paolo sedettero vicini.

Non andarono lontano. Attraversarono l'agglomerato di case bianche e raggiunsero l'unico edificio a tre piani dell'Isola. Aveva il piano terra intonacato, mentre i due superiori mostravano i mattoni grezzi.

Ancora più in alto, dagli angoli di quello che avrebbe dovuto essere il tetto, fasci di metallo arrugginito si protendevano verso il cielo. Di fronte all'entrata c'era un fico, sotto al quale stava un caprone. Aveva un corno solo e gambe alte, quasi da levriero. Non mostrava alcun interesse per la bufera che gli agitava il lungo pelo chiaro. Scrutò immobile, con le pupille orizzontali, la camionetta che gli si accostava. Quando fu ferma, le trotterellò incontro come un animale da compagnia.

"Ciao, Martino!" disse Nitti aprendo la portiera.

Il caprone gli balzò addosso mettendogli le zampe anteriori in grembo, spingendogli il bacino contro le gambe in modo spudorato. Paolo fu investito dal puzzo del capro. Turbinava nel vento, sembrava quasi tracciare una scia, riempiva le narici.

"Giù, Martino, giù!" fece Nitti.

Nonostante la foia, Martino obbedì come un cane ben educato. Scese dal grembo di Nitti e rimase in piedi accanto alla camionetta.

"Si chiama davvero Martino?" chiese Luisa.

"Sì. Gliel'ho dato io, il nome" disse l'agente. "Un nome da caprone."

Tolse le chiavi dal cruscotto, se le mise in tasca e con il mento indicò l'edificio.

"Oggi dormite qua. Al Palazzo di Vetro."

Paolo alzò lo sguardo verso i piani superiori della costruzione. Al posto delle finestre c'erano buchi senza infissi.

"Dov'è il vetro?"

Nitti fece una smorfia.

"Non c'è. Molte cose qui non ci sono, c'è solo la parola."

Quando anche loro furono scesi dalla camionetta, Martino ignorò Nitti e trottò incontro a Luisa. Avvolgendola con la sua puzza, cercò di metterle addosso le zampe. Lei corse dentro l'edificio dietro a Paolo e Nitti che, appena furono tutti entrati, le chiuse la porta alle spalle. Da dietro la finestra, i tre osservarono il caprone: dopo un momento di sconforto, aveva deciso di rivolgere le sue maleodoranti avance al parafanghi della camionetta.

Un cartongesso bloccava l'accesso alla scala che avrebbe dovuto portare ai piani superiori. Era agibile quindi solo il pianterreno ma neanche tutto, solo il lungo corridoio e una delle stanze che vi si affacciavano. Le altre avevano il vano della porta bloccato da assi di legno inchiodate a croce. Esse impedivano il passaggio alle persone ma non alla polvere né a un certo odore greve – Martino il caprone doveva essere riuscito a entrare nel Palazzo di Vetro più di una volta.

Ammassato in un angolo dell'unica stanza accessibile c'era qualche mobile: tre sedie, una branda di ferro con un materasso nuovo ancora avvolto nel cellophane, un tavolo più simile a una cattedra di scuola elementare che alla scrivania di un ufficio, una poltrona da barbiere dal cuoio azzurrino tutto crepato.

"Ci hanno mandato un letto solo" disse Nitti. "Mi dispiace."

"Non è un problema" fece Paolo indicando la poltrona da barbiere. "Io dormo lì."

In fondo al corridoio c'era un bagno, dove non mancava neanche una rifinitura. Aveva piastrelle immacolate e due gabinetti dagli sciacquoni funzionanti, come Nitti dimostrò a Paolo e Luisa. Poi azionò anche il rubinetto sul lavabo di ceramica. I tre osservarono l'acqua rossastra e terrosa che ne usciva che diventò, in pochi secondi, chiara e pulita.

"Dicono che non è potabile ma è buonissima, invece." Nitti disse con una fierezza involontaria che non sfuggì a Paolo. "Viene dritta dalla sorgente sulla collina."

Tornati nel corridoio, l'agente si avviò verso l'entrata.

"Io vado ad avvertire mia moglie. Chissà che pensa, che non sto ancora a casa."

Li squadrò, severo come un maestro che deve assentarsi dall'aula.

"Se il direttore scopre che vi ho lasciato soli... Io non vi chiudo dentro, ma voi non uscite da questo portone. Capito?"

Paolo e Luisa annuirono, solenni come scolaretti che promettono di essere bravi. Rimasero in piedi in mezzo al corridoio mentre Nitti usciva richiudendosi alle spalle il portone. Che però dopo un istante si riaprì, mentre un turbine d'aria prese di nuovo possesso dell'ambiente. Il vento sollevò la gonna di Luisa, fece mulinare la polvere nelle stanze vuote, fischiò oltre il cartongesso. Dall'uscio, Nitti fece capolino.

"Mi raccomando. Non mi mettete nei guai."

Li fissò in viso a lungo chiedendosi se si poteva fidare. I due si sottoposero fermi e in silenzio a questo scrutinio. Poi l'agente si chiuse di nuovo alle spalle il portone e l'aria nel corridoio si fermò. Luisa e Paolo sentirono la camionetta che si allontanava.

Quando rimase solo il rumore della bufera, entrambi ebbero l'impulso di guardare l'altro. Ma nessuno dei due lo fece.

Abbassarono gli occhi e li puntarono sul pavimento.

PAROLE

Ecco, pensò Maria Caterina, di nuovo sangue. Questa volta era sulla giacca, ma glielo aveva visto anche sui pantaloni, sulle scarpe, perfino sul berretto. Un giorno era arrivato con la faccia stravolta e addosso una puzza di piscio. Un altro, con schizzi di vomito sulla tomaia delle scarpe e lei sapeva con certezza che non era suo.

E lui, zitto.

Le prime volte gliel'aveva chiesto: che è successo, oddio, ti sei fatto male… Ma Pierfrancesco le aveva lanciato uno sguardo uguale a quello di Rocco, il cane che aveva da bambina, il giorno prima di morire. Il vecchio pastore era nato molti anni prima di lei e sempre, quando Maria Caterina tornava da scuola, le saltava addosso e le leccava la faccia e il collo. Quel giorno invece non era apparso al cancello. Lei aveva corso per tutto il vialetto di terra battuta chiamando e fischiando finché lo vide. Era immobile davanti alla porta della casa, le gambe posteriori inermi sotto il sedere magro dai peli aggrovigliati. Teneva il muso sollevato a fatica. La punta della coda sbatteva flebile a terra – un sorriso triste in versione canina. E gli occhi fissi su di lei non chiedevano aiuto, che sarebbe stato forse più sopportabile, ma scusa.

In questo stesso modo, invece di rispondere, l'aveva guardata Pierfrancesco suo.

E Maria Caterina, come aveva fatto quel giorno con Rocco, avrebbe voluto prendere la testa del marito tra le mani, stringersela al petto e dirgli: "Tranquillo, va tutto bene." Ma non poteva farlo perché lo sapeva che no, non tutto, non sempre andava bene. Per dire: Rocco, il mattino dopo, era stato caricato dal nonno sul furgone e lei non l'aveva visto mai più.

All'inizio, quando era arrivata sull'Isola, Maria Caterina era contenta. Le avevano assegnato la scuoletta elementare per i figli del personale, una dozzina di ragazzini dai sei ai dodici anni. La maestra precedente era troppo vecchia e stanca per imporre la disciplina e quando lei arrivò al basso edificio bianco li trovò arrampicati sul fico secolare che cresceva accanto alla scuola. Tutti lassù abbarbicati ai rami, i piccoli in basso, i due più grandi in cima. Il messaggio era chiaro: né di lei, né di nessuna, avevano paura.

Questo benvenuto non impressionò Maria Caterina. Figlia di contadini, aveva passato l'infanzia a scorticarsi le gambe sugli alberi e dentro i fossati. E tra lei e il più vecchio dei suoi nuovi scolari c'erano sette anni scarsi di differenza. Si appoggiò al tronco con la mano sinistra, tirò su agile la gamba destra e si issò sopra al fico, mettendosi anche lei a cavalcioni di un ramo basso. Era snella e ben fatta ma non alta e i piedi non toccavano terra.

Fortuna che oggi ho messo i pantaloni, si trovò a pensare.

"Buongiorno, bambini" disse. "Mi chiamo Maria Caterina e sono la vostra nuova maestra."

Accanto a lei uno scolaro piccolissimo, la testa rapata per certe recenti infestazioni di pidocchi, la fissava a bocca spalancata. Nella sua breve vita non s'era mai trovato a condividere un albero di fico con una maestra. Nessuna specie di albero, a dirla tutta. Maria Caterina alzò un braccio e, con aria esperta, fece oscillare il ramo sopra la testa saggiandone la tenuta. Il ragazzino che ci stava seduto cominciò a dondolare come su una giostra. Gli sfuggì un grido spaventato e per non cadere dovette abbracciare il tronco.

Maria Caterina l'osservò con aria distaccata, impassibile di fronte alla sua paura. Non smise di far oscillare il ramo se non dopo un bel po'.

"Se siete abituati a far lezione qui, a me va bene. Andate a prendere i vostri quaderni e ci sistemiamo su questo bel fico."

Indicò le piccole sfere verdi dei frutti che cominciavano a spuntare. "Dovremo solo stare attenti a non staccarli finché sono acerbi, così poi d'estate ce li mangiamo."

Alzò gli occhi e fissò negli occhi i bambini, uno a uno, con sguardo equanime ma senza appello.

"Ma non ditemi poi che eravate troppo scomodi per scrivere bene. Pretendo da tutti, sempre, una bella calligrafia."

I bambini scesero dal fico e tornarono in classe.

Maria Caterina fu la maestra più rispettata nella storia della scuola sull'Isola. Anche i ministri in visita al carcere e alla stazione sanitaria venivano a trovarla nella sua piccola aula. E nessun bambino provò mai a uscire senza il suo permesso durante le ore di lezione.

Sì, lei era stata felice di venire a vivere qui. Maestra, sposa, dopo un paio d'anni anche madre: sull'Isola era diventata tutto ciò che fin da ragazzina sognava. Quand'era arrivata, il giorno dopo il matrimonio, aveva diciannove anni, Pierfrancesco sei di più. Avevano, l'uno dell'altra, una specie di fame. Facevano l'amore quasi ogni sera poi, nel letto sudato, lei gli si rannicchiava sul petto mentre lui raccontava le storie degli uomini in prigione.

Le raccontò di quello condannato per traffico d'armi internazionale, si diceva fosse un pezzo grosso che aveva a che fare con i marsigliesi se non con la mafia, bravissimo meccanico. L'avevano messo all'officina e aveva insegnato a Pierfrancesco molte cose utili su ogni tipo di motore.

Di quello che quando gli parlavi spiccicava sì e no due parole in un dialetto che nessuno capiva, e per firmare tracciava solchi sul foglio neanche la penna fosse un aratro. Poi una volta, mentre era a colloquio, Pierfrancesco l'aveva sentito che parlava in perfetto italiano con il suo avvocato dimostrando di capirci anche più di lui del codice penale.

Di quello che in un raptus di gelosia aveva strangolato la moglie e ora in galera si dava sempre da fare per gli altri, elargiva buoni consigli, tirava su il morale a chi passava un guaio. Guardie e detenuti concordavano nel ritenere che, per farsi ammazzare da un tale brav'uomo, la moglie doveva esserselo di certo meritato.

Del napoletano che per sua natura rompe le balle, insiste, sempre piange anzi *chiagne*, e pare che stia morendo di crepacuore (Pierfrancesco imitava quel piagnisteo e Maria Caterina rideva), poi alla fine ti frega.

Del siciliano che è dominante, per lui ogni cosa è questione d'onore, guai a fargli perdere la faccia, si legherà l'offesa al dito, e da allora e per sempre dovrai guardarti le spalle, non sarai più al sicuro perché un giorno di certo te la farà pagare con vendetta clamorosa e teatrale.

Del calabrese che parla con il "tu": "io te lo dicessi", "io te lo detti", e che quindi viene messo in punizione dalle guardie nuove perché pensano sia mancanza di rispetto, senza capire che è proprio così che parla, con chiunque.

Degli slavi che sono i peggiori di tutti, sono matti e crudeli, fosse per loro ci sarebbe un *disgusto* al giorno, e guai a lasciargli credere anche solo per un attimo che sono i più forti, quelli rispettano solo la paura e la sopraffazione.

Degli africani che, se solo ci provano a lamentarsi del cibo, puoi scommettere che ci sarà sempre qualcuno che gli dice "allora vai in carcere al Paese tuo, vediamo se lì mangi meglio". L'africano starà zitto ma un giorno nella gamella a quello gli sputerà – o peggio – mentre nessuno lo vede.

Del pericoloso rapinatore, tre ergastoli sul collo, che scriveva alla sua donna lettere piene di dettagli intimi della loro passione, descrizioni del corpo di lei che neanche un trattato di anatomia. Nel leggerle Pierfrancesco, di turno al controllo della corrispondenza, provava grande imbarazzo ma sentiva anche il sangue andargli nelle parti basse e si trovava a pensare a quello che avrebbe fatto alla sua, di moglie, la sera.

Di quelli che dicono "io sono innocente".

Cioè tutti, senza eccezione.

Mentre suo marito parlava, Maria Caterina gli stava con la guancia sul petto, i peli neri di lui che le solleticavano il naso, la voce bassa che dalla cassa toracica le penetrava nell'orecchio appoggiato riempiendola di pace. Lui le cingeva la spalla nuda con un braccio e nel palmo, come un tesoro, custodiva un suo seno.

Ma questo era prima. Molto tempo fa.

Da anni ormai Pierfrancesco suo non le raccontava più nulla. I giorni poi in cui tornava a casa con quelle tracce sulla divisa, con quei segni (ma di cosa?), con quegli umori sbilenchi, era tanto se rivolgeva la parola a lei o ai bambini.

Qualche inverno prima tre detenuti che stavano riparando una staccionata avevano picchiato con un palo l'agente che li sorvegliava. Prima di scappare l'avevano abbandonato in uno stagno retrodunale, mani e piedi legati con il filo di ferro, solo la testa sopra il pelo dell'acqua ferma. I colleghi l'avevano ritrovato dopo parecchie ore che quasi non riusciva più a sollevare il naso fuori dell'acqua e con il corpo in ipotermia. Rimase a lungo in malattia. Quando finalmente tornò al lavoro, in carcere rimase poco: dopo appena qualche giorno la direzione lo assegnò al magazzino. Lì rimase, senza più alcun contatto con i detenuti, finché andò in pensione anticipata.

Cosa fosse successo in quei pochi giorni in cui quell'agente aveva ripreso il servizio, Maria Caterina non lo sapeva. Non gliel'aveva spiegato nessuno. Non Pierfrancesco, né i suoi colleghi. Erano tutti gentili con lei, s'informavano se i loro figli facessero i compiti, quando andavano in continente le portavano salumi e sottaceti, ma dai discorsi che facevano in sua presenza era bandito il loro mestiere. La vita quotidiana nel carcere, le ore passate tra muri, grate e chiavi: quando parlavano con Maria Caterina nulla di questo esisteva. Per quanto la riguardava, avrebbero potuto essere astronauti, pescatori di perle, ufficiali della legione straniera. Non era quindi a loro che poteva chiedere perché suo marito fosse così cambiato, cosa gli avessero fatto o – al pensiero una morsa le stringeva i polmoni – cos'avesse fatto lui.

Nel sagrato davanti alla chiesa del paese natio di Maria Caterina c'era un pozzo. Contravvenendo ai divieti paterni, da piccola lei si sporgeva in quel buio con una vertigine di orrore e attrazione. Serviva ormai solo per innaffiare l'orto dietro la sagrestia. La vecchia perpetua con le ascelle sudate ci calava il secchio borbottando che l'acqua era sempre più scarsa, più in basso, più faticosa da tirare su. Ogni volta, Maria Caterina accoglieva il tonfo lontano dello zinco sulla superficie nera quasi con delusione: l'idea di un abisso senza fondo proprio lì, a pochi passi da casa, non le dispiaceva.

Ora, da anni ormai, le pareva che ci si fosse cascato Pierfrancesco suo, dentro quel pozzo. Per arrivare a lui doveva dare sempre più corda, sempre più giù, e temeva il momento in cui si sarebbe rivelata troppo corta, lasciando il secchio penzoloni e inutile nel vuoto nero. Il momento in cui lei non l'avrebbe raggiunto più.

Il marito adesso era lì, a pochi metri da lei, in piedi accanto allo stipite della porta chiusa. Com'era ancora bello. Maria Caterina conosceva il suo viso meglio del proprio, l'aveva guardato sicuramente molto più a lungo: il naso dritto, le ciglia lunghe, i solchi ad arco ai lati della bocca quasi da donna, la cicatrice della varicella che gli tagliava un sopracciglio.

Quand'era entrato, un vortice di vento aveva sollevato la camicia appoggiata sull'asse da stiro e lei aveva dovuto trattenerla con la mano. Abitavano in una delle piccole case a un piano solo per le famiglie del personale del penitenziario. La cucina era anche l'ingresso e si apriva direttamente sui due gradini di pietra e sulla strada. Gli aveva visto subito il sangue sulla giacca. Pierfrancesco se n'era accorto. Era rimasto in silenzio, come aspettando una domanda. *La* domanda. Che però non era arrivata: pur di non fissare quella macchia, Maria Caterina aveva riportato lo sguardo sulla camicia da stirare.

Allora aveva parlato lui. Dello scontro con il furgone, del detenuto ferito, dei due parenti bloccati sull'Isola dal fortunale. Era una cosa mai successa, disse. Li aveva portati alla foresteria. Prima o poi bisognava dargli qualcosa da mangiare.

"C'erano anche loro nell'incidente?" chiese la moglie senza alzare gli occhi, la fronte aggrottata a seguire la traiettoria del ferro sopra un polsino.

"Sì."

La punta triangolare d'acciaio circumnavigò un bottone.

"Si sono fatti male?"

"No."

L'indice e il medio della mano sinistra allargarono l'apertura della manica per agevolare il passaggio del ferro.

"Chi sono?"

"Parenti di due dello Speciale. Un uomo e una donna."

Maria Caterina sollevò il ferro dalla stoffa, lo mise in verticale sopra al suo appoggio, si voltò verso il marito. Ma non per sbirciargli la macchia sulla stoffa grigia.

"Una donna?" chiese guardandolo dritto in viso.

***

Paolo e Luisa sedevano su due delle sedie, il tavolo in mezzo a loro.

"Ha fame?" chiese Luisa.

"Ora che lo dice... un po' sì."

Luisa prese la borsa che aveva appoggiato su quella specie di cattedra. Ne estrasse una grossa pagnotta, una forma di cacio e un coltellino. Con gesti efficienti spezzò la prima e tagliò la seconda.

"Prenda questo."

"Grazie" fece Paolo. "Ma lei? Non mangia?"

"Sì, sì. Mangio anch'io. Me n'è rimasto tanto. In viaggio non avevo fame."

Paolo addentò il pane.

Era di segale, scuro, impegnativo da masticare. Questo gli diede soddisfazione. Chiuse gli occhi mentre la mandibola lavorava. L'ultima cosa che aveva ingerito era il caffè bevuto all'alba a bordo del traghetto dal continente, poco prima di attraccare dopo la traversata. Da allora più nulla, eppure solo ora, con la bocca piena di pane e formaggio, percepiva la fame.

Quante volte, dalla morte di Emilia, si era dimenticato di mangiare e perfino di bere. Talvolta, quando il corpo riusciva finalmente a farsi sentire, si rendeva conto di essere digiuno da troppe ore. Da qualche tempo, per questo motivo, si era imposto rigorosi orari per i pasti principali: ore una e trenta il pranzo, ore otto la cena. Anche sua sorella verificava spesso, con telefonate discrete ma dal tempismo mirato, che si fosse nutrito. Durante i viaggi però, *quei* viaggi, che poi erano gli unici che ormai facesse, la disattenzione o meglio il disinteresse per il suo corpo riprendeva il sopravvento.

Questo pane. Questo formaggio. Com'erano buoni.

Ora la donna dagli occhi chiari gli stava porgendo una borraccia rivestita di feltro. Paolo la prese, svitò il tappo e bevve. Si capiva, nonostante le molte ore passate lì dentro, che quella non era acqua di città: sapeva di metallo ma anche di prato. Paolo ne prese un'altra sorsata. Soltanto adesso, come con l'appetito, si rese conto della sete che gli tornava bevendo.

Chissà, forse avrebbe goduto altrettanto dell'acqua di un rubinetto di zona industriale; sta di fatto che ogni sorso da questa borraccia gli diede intenso piacere.

Si accorse ancora una volta di aver chiuso gli occhi mentre deglutiva. Quando li riaprì, vide che lei lo guardava. Aveva l'espressione delle madri quando i figli fanno le cose giuste; compiaciuta, priva di dubbi, in attesa.

"Forse è il caso che ci presentiamo." Si passò la borraccia nella sinistra e le porse la destra. "Mi chiamo Paolo."

Anche lei allungò la mano e gliela strinse, formale.

"Luisa."

Poi si mise a tagliare un altro pezzo di pane e formaggio e glielo porse. Paolo lo prese e stava per ringraziare ma lei lo prevenne.

"Volevo dirle grazie" disse Luisa.

Paolo la guardò stupito.

"E di cosa? Sono io che mangio il suo pane."

"Prima. Sulla strada. C'era tanta polvere, lì dietro. E lei si è seduto al mio posto."

"Ah, quello... Be', non era giusto che così scomoda ci stesse lei."

"Perché no?" chiese Luisa con stupore sincero. Proprio non lo capiva, quel privilegio.

Paolo si sentì struggere d'improvvisa tenerezza e pena per lei: gli fu improvvisamente chiaro quanto fosse disabituata a ricevere cortesie. Provò l'irragionevole desiderio di trovare le parole per convincerla del suo diritto a sedersi con agio, a farsi cedere il posto migliore da uno sconosciuto, a essere trattata con il riguardo dovuto a una donna. Parole miracolosamente adatte che la risarcissero di anni passati a prendersi la polvere in faccia, scomoda e sola. Invece riuscì solo a dire, con tono talmente deciso che suonò quasi brusco: "Perché lei è una signora."

Gli occhi di Luisa si dilatarono e si fecero ancora più trasparenti. Ma Paolo non fece a tempo a capire se ciò fosse dovuto a un fiotto di lacrime o allo sbigottimento per quella definizione. Lei abbassò lo sguardo e si mise a frugare nella borsa. Solo dopo un lungo rimestare trovò quello che cercava: una mela. Senza una parola gliela porse.

Lui la prese, la portò alla bocca e ci affondò i denti. Era piccola, rossa, un po' grinzosa:

È dolce, dolcissima, la mela più dolce che abbia mai mangiato.

Avevano finito di mangiare da un po', erano entrambi andati al bagno e tornati a sedere nella stanza, quando al sibilare del vento che percuoteva i vetri e al fracasso delle onde sul molo si aggiunse un altro suono. Un motore. Si avvicinò, si spense, fu seguito dallo sbattere di una portiera.

"Nitti, apri."

Una voce pietrosa che dava per scontata l'altrui obbedienza: il direttore. Luisa, con uno sguardo interrogativo, disse: "È lui?"

Paolo si portò un dito sulle labbra.

"Sì."

Rimasero in ascolto. La voce si fece impaziente.

"Nitti! Siete qui?"

Anche se da fuori nessuno avrebbe potuto vederli, nemmeno schiacciando il naso sul vetro della finestra, Paolo e Luisa si ritrassero ancora più dentro la stanza per non farsi scorgere, chiunque fosse. I passi pesanti fecero su e giù davanti al Palazzo di Vetro poi si fermarono in una breve pausa seccata. Dopo un po' ci fu lo sbattere di una portiera, il riaccendersi del motore.

Solo allora Paolo fece capolino dalla stanza, appena in tempo per vedere, attraverso la finestra del corridoio, una campagnola che girava e poi scompariva dietro le bianche case basse.

Quando Nitti tornò, non fu subito certo di aver capito bene.

"Avete fatto finta di non essere qui?!"

"Aveva detto che se il direttore ci trovava soli lei passava guai" fece Luisa.

Nitti li fissò incredulo.

"Cioè... Vi siete nascosti per me?"

Paolo alzò le spalle, annuì.

Nitti contemplò in silenzio questo fenomeno mai osservato prima in natura: parenti di camosci dello Speciale che salvano il culo a un secondino. Restò così immobile, muto, trasfigurato, che anche il vento e gli spifferi parvero chetarsi per un istante.

Paolo si preoccupò.

"Non è che le abbiamo creato problemi?"

Nitti si scosse. Buttò fuori l'aria dal naso in una mezza risata.

"Problemi? Scherza! Se il Dottore vedeva che vi avevo lasciato qui, allora sì che mi spellava vivo!"

L'agente carcerario li guardò in faccia, prima una poi l'altro.

"Non so che dire. Grazie."

Paolo scacciò l'aria con la mano: *Quanto abbiamo fatto è meno di una mosca, di una zanzara.*

"Ma quando lo vede dove gli dirà che eravamo?" chiese Luisa.

"Buona domanda. Be', devo tenervi d'occhio, mica sotto chiave. Potevamo essere in giro."

"Con questo vento?"

Nitti la fissò considerando la cosa. Il suo viso gli s'illuminò della luce di chi ha avuto un'idea un po' proibita, un po' pazza, un po' meravigliosa.

"Mia moglie vuole farvi pesce, stasera. E quando tira il maestrale le spigole si prendono facile..."

***

I marosi vorticavano intorno alle rocce creando turbolenze impossibili da decifrare. Poi si ritrovavano l'uno contro l'altro provenendo da direzioni opposte e sbattevano tra loro come mani in un applauso fragoroso. La superficie dell'acqua era coperta di spuma bianca.

"Sembra latte" disse Luisa. "Anzi, panna. Anzi, no, sembra schiuma di birra."

Da quando erano scesi dalla camionetta, era rimasta a fissare il ribollire del mare. Le onde aggredivano gli scogli e poi rifluivano giù, formando cascate che le ricordavano quelle nelle gole delle sue montagne, al disgelo.

A Paolo la mareggiata sembrava invece un paesaggio popolato da strani esseri, animali, eruzioni vulcaniche. Ogni increspatura, per un brevissimo istante, gli pareva essere qualcosa se non, addirittura, qualcuno. Ma questa unicità subito si annullava e scompariva e nascevano nuove effimere creature. Tutto era solo acqua e movimento. Il maestrale aveva reso mare anche l'aria, le aveva dato salmastro, sapore, consistenza. Respirarla era come spalmarsi le guance di alghe.

Dalla strada erano scesi a piedi in una minuscola insenatura di sabbia bianca, protetta da un cerchio quasi chiuso di scogli di granito. Le onde si frantumavano all'esterno di questa barriera naturale con sbuffi teatrali, ma al suo interno c'era calma. Tutta l'estate il sole aveva riscaldato la caletta come una pentola e lì l'acqua non era fredda. Il mare, là dentro, ansimava pesante, come un orso nella sua tana.

Il vento era un po' meno forte di qualche ora prima, anche se le alte nuvole grigie erano sempre tese e agitate. Cominciavano però a essere lacerate da strappi da cui la luce cascava giù come da lucernari in un sottotetto. Lì, e solo lì, il mare color squalo s'illuminava di chiazze turchine.

Mentre Nitti guidava sulla strada scoscesa che li portava fin qui, aveva spiegato: "Con la risacca il bagnasciuga si ossigena e i pesciolini arrivano vicino a riva. Sarde, saltarelli, marmore... Allora la spigola va a caccia e noi, zac!, la becchiamo in tutta quella confusione."

Ora sguazzava nell'acqua bassa della caletta con una fiocina in mano. S'era tolto la giacca della divisa e arrotolato i pantaloni sopra alle ginocchia. Scrutava la superficie trasparente con occhi più da orefice che da pescatore, da lavoro di fino. Come aveva previsto, branchi di piccoli pesci argentati gli si affollarono intorno alle caviglie, come sciami di api attratte da un fiore.

Nitti non era il solo a sapere che il maestrale porta abbondanza. Su una delle rocce che impedivano ai marosi di entrare nell'insenatura, una colonia di marangoni scrutava i flutti con le ali strette intorno al corpo a patata. Allungavano il collo come studenti che non vogliono perdersi una parola della lezione.

Alcuni gabbiani reali planavano, si tuffavano e risalivano in cielo vociando sguaiati come teppisti. Una berta volava attenta a pelo dell'acqua senza battere mai le ali, neanche fosse appesa a un invisibile filo.

Accosciato su uno scoglio, Paolo faceva incetta di ricci. Quando aveva visto tutti quei piccoli soli scuri, abbarbicati sulla roccia screziata, aveva chiesto a Nitti un coltello. L'agente aveva alzato il sopracciglio diviso in due dalla cicatrice. Poi aveva frugato nella borsa della fiocina che era passato a prendere a casa e gli aveva allungato un pugnale dalla punta squadrata e la lama a zig zag.

"Nemmeno questo glielo diciamo, al Dottore."

"No" aveva fatto Paolo compunto. "Nemmeno questo."

Al primo riccio, Paolo si conficcò nel palmo un aculeo color mosto antico.

Ho perso la mano.

Quand'era stata l'ultima volta che aveva staccato ricci da uno scoglio? Mille anni fa, a Framura.

Immerso fino alla pancia nell'acqua, li offriva a Emilia. Sedeva poco più in alto di lui con mezzo limone in una mano, un cucchiaino nell'altra, i piedi che sfioravano il pelo dell'acqua. Lui glieli passava scoperchiati, la polpa nuda quasi oscena in confronto alle spine rigorose, eleganti, ormai inutilmente tremende. Lei, senza alcuno schifo, scavava in quella morbidezza vischiosa con il cucchiaino, ci spremeva sopra una goccia di limone poi si ficcava tutto in bocca con uno schiocco di labbra.

Ora era Luisa, che scucchiaiava i ricci. Anche a lei Paolo li porgeva già aperti come frutti maturi. Il suo compito era farne colare la polpa dentro un barattolo di plastica bianca, e lo eseguiva con gesti competenti e precisi. Nessuno avrebbe detto che non aveva mai pulito un riccio di mare, prima. Che non l'aveva mai neanche visto.

Le ricordavano le lumache di un'estate lontana, quand'era bambina.

Era l'ultimo anno della guerra, aveva cinque anni. Era stato un inverno freddissimo e anche per i contadini la fame si faceva sentire. Con uno dei fratelli, l'unico abbastanza piccolo da non doversi nascondere in cantina durante i rastrellamenti, Luisa andava nei boschi dietro la cascina dei genitori. Scoiattoli, lepri, quaglie, qualsiasi cosa andava bene. A trovarne di vivi, però: quell'inverno c'era concorrenza, un intero continente rimediava alla fame come poteva. E poi non era facile acchiappare, armati solo di una fionda, bestie veloci nella corsa e nel volo. Spesso tornavano a casa a mani vuote.

S'era messo a piovere, giorni e giorni di acqua gelata sopra ogni cosa, pareva non avrebbe più smesso. L'orto, già sfigurato dagli scarponi delle camicie nere, era ridotto a una distesa informe e fangosa. Il muretto di pietre che lo racchiudeva, però, era disseminato di chiocciole: pallide, lisce, vischiose. Grasse, soprattutto. E tante. Creature d'abbondanza in quel tempo di penuria.

Luisa bambina corse fuori dalla cucina, spremendo il fango tra le dita nude dei piedi. Si mise a staccare le chiocciole dal muretto una a una, facendole ricadere nel vestito tenuto alto a tasca sul grembo. Dopo un po' arrivò il fratello, fece lo stesso con il lembo della camicia e senza una parola si mise anche lui a cogliere lumache dal muretto. Più tardi, sotto lo sguardo perplesso ma sollevato della madre in cucina, spogliarono quei lucidi nastri bavosi dei loro perfetti gusci a spirale e li fecero cadere inermi in un piatto.

La donna mise le lumache in una padella con uno spicchio di aglio e Luisa le osservò agitarsi qualche secondo per poi immobilizzarsi in forme arcuate e strane. In bocca sapevano di terra, pioggia e saliva.

A questo pensava Luisa mentre puliva in silenzio i ricci che Paolo le passava: alle chiocciole che in un inverno lontano avevano placato la sua fame di bambina.

"Quanti ne avremo presi, finora?" chiese Paolo.

Luisa guardò il barattolo pieno di poltiglia arancione. Quanti ricci c'erano, lì dentro?

Non lo sapeva. Non li aveva contati.

In quel momento un'onda più lunga arrivò fino alla giacca della divisa che Nitti aveva appoggiato sulla sabbia di quarzo chiaro. Il mare gonfiò la tela grigia, riempì le maniche, il doppio petto, il collo. Nitti lanciò un'imprecazione e Paolo sollevò lo sguardo. Vide un agente carcerario che faceva il morto tra i flutti e si lasciava trasportare dalla corrente. Solo dopo qualche istante capì che era una giacca, non una persona. La risacca la stava trasportando verso l'imboccatura della caletta e il mare aperto.

Saltellando e schizzando nell'acqua bassa, Nitti le corse dietro. Tese il braccio in tutta la sua lunghezza e riuscì ad arpionare la giacca con la punta della fiocina, un attimo prima che cominciasse ad affondare. Alzando la fiocina, la issò dritta e in verticale sopra la superficie dall'acqua.

Uno spaventapasseri in mezzo al mare vestito da guardia.

Paolo provò forte rimpianto che non la potesse vedere anche il figlio, quell'immagine buffa e bizzarra.

Girachiavi. Secondini. Erano tanti i nomi con cui i detenuti chiamavano i loro guardiani. Il più feroce: *magazzinieri di carne umana.* Il più abusato: *servi del sistema.*

"Questi servi del sistema ci deumanizzano" gli aveva detto una volta il figlio a un colloquio.

"Se li chiami così sei tu che deumanizzi loro."

Il figlio aveva replicato con quel tono di dottrinale certezza che a Paolo faceva venire tanta voglia di abbandonarlo al suo destino: "Tu. Non puoi capire."

Paolo allora s'era ricordato del gesto del poliziotto nel Palazzo di Giustizia.

Erano le settimane dopo il ritrovamento del cadavere dell'esponente politico, rapito mesi prima massacrando la sua scorta. Era maggio, ma il Paese era intirizzito come da un gelo. Nelle carceri si temevano rappresaglie, se non linciaggi, contro i detenuti politici.

Nei tribunali, gli imputati dei processi per terrorismo percorrevano il corridoio che conduceva all'aula tra due file di schiene. Agli agenti che cordonavano il loro passaggio era stato dato l'ordine di rivolgere la faccia al muro, non sia mai qualche uomo in divisa volesse farsi giustizia da solo. Paolo e i familiari degli altri imputati vennero fatti sedere in un settore diverso da quello dei parenti delle vittime e del resto del pubblico. "Per la vostra incolumità" dissero. Un poliziotto li aveva guidati ai loro posti, e Paolo e gli altri parenti lo seguirono in fretta, senza guardarsi attorno. Quando furono tutti seduti, il poliziotto si voltò in modo da dare le spalle alla corte, ai suoi colleghi e alla maggior parte del pubblico in aula. Si ritrovò con solo Paolo davanti. Alzò la mano e gli puntò due dita alla tempia. Schiacciando un immaginario grilletto, sibilò con odio pacato: "Clic."

Un gesto fulmineo. La mano fu subito ritratta, la schiena di nuovo voltata, il viso ritornò impassibile. Nessuno, oltre a Paolo, aveva visto o sentito.

Non lo raccontò mai a suo figlio, naturalmente.

Un grido lo riscosse dai suoi pensieri.

Nitti aveva l'acqua ben sopra il bordo dei pantaloni arrotolati, fin quasi alla vita. Teneva di nuovo la fiocina in alto come un vessillo ma ora, invece della giacca, c'era infilzata una grossa spigola che si dimenava contro il cielo scuro. Proprio in quell'istante il sole, nel suo cammino ormai avanzato verso l'orizzonte, scese sotto la coltre di nubi. Esse s'illuminarono nel sottopancia, come se fossero state appena tenute a mollo in una vernice d'oro. Un raggio di luce colpì in pieno la spigola e il viso di Nitti Pierfrancesco.

L'agente carcerario lanciava urla di trionfo selvaggio, da predatore pagano.

***

Mentre tornavano verso il centro abitato, la camionetta si trovò davanti un piccolo gruppo di pernici. Avevano il sedere pesante, un anello di piume intorno al collo, l'andatura indaffarata. Nitti suonò il clacson ma loro non si fecero da parte e continuarono a trotterellare frettolose in mezzo alla strada.

"'Ste sceme! Sanno volare benissimo, e invece..."

Suonò di nuovo il clacson, diede gas, quasi le investì ma quelle niente, di alzarsi in volo non ne volevano sapere. Nitti aprì la bocca per imprecare quando finalmente le pernici sbatterono le ali e con uno svolazzo raggiunsero un cespuglio di euforbia accanto alla strada.

Dalla direzione opposta stava arrivando un'auto privata, uno di quegli ammassi di ruggine che solo sull'Isola potevano girare senza essere subito rottamati d'ufficio. In quel punto, la sterrata era abbastanza larga per due veicoli. Il conducente si affiancò e aprì il finestrino. Il vento gli spazzò la nuvola di polvere della frenata dentro l'abitacolo.

Anche Nitti tirò giù il finestrino e si mise a chiacchierare con lui. O meglio fu l'uomo, dal viso tondo e cotto dal sole come pasta lievitata, che attaccò a parlare. Faceva domande a raffica.

"Chi sono quei due?"

"Dove siete stati?"

"Dove state andando?"

Ma invece di ascoltare le risposte interloquiva, commentava, rielaborava le quattro parole che Nitti riusciva a infilare tra un quesito e l'altro. Poi si mise a descrivere il dentice che aveva pescato la mattina prima, lo spaccio in cui era appena stato dove non c'era la pasta corta e s'era dovuto accontentare degli spaghetti, le gengive che gli facevano male ma il dentista da un mese doveva venire sull'Isola e continuava a rimandare. Parlò del maestrale che stava calando e chi l'avrebbe detto, questa mattina, che sarebbe durato meno di un giorno, lui a mezzogiorno l'aveva visto andare in fumo e aveva pensato che se lo sarebbero tenuti quasi una settimana. Del figlio del capitano arrivato dall'America, del proprio figlio maggiore che faceva il militare in continente e di molte altre cose ancora.

Alle pernici doveva essere passata la fretta: appollaiate sotto l'euforbia fissavano le due macchine e le due teste che sporgevano dai finestrini, come per seguire meglio la conversazione.

Nitti ci mise un po', prima di riuscire a interrompere quella piena di parole e salutare. Richiuse il finestrino, rimise in moto. Le due auto si avviarono ognuna nella propria direzione, lentamente, per non grattarsi le fiancate.

"Chi era quello?" chiese Paolo dopo qualche metro.

"Il guardiano del faro. Bravissimo pescatore. Spigole, dentici, muggini, cernie, tutto ho imparato da lui."

Si voltò a guardarli in viso e Luisa s'irrigidì. Avrebbe preferito che tenesse gli occhi sulla strada.

"Quest'isola è così" continuò Nitti. "Ti lascia in silenzio per giorni. Poi ti manda qualcuno che ascolta, e allora per farti star zitto devono abbatterti a fucilate."

***

Era, bisogna dirlo, una strana convivialità. Nitti e sua moglie non avevano mai invitato a cena parenti di detenuti. Né Paolo né Luisa erano mai stati ospiti di un agente carcerario. Eppure una volta che tutti – i visitatori, Pierfrancesco, Maria Caterina e i due bambini – si furono seduti intorno al tavolo nella bassa casa bianca, provarono molto meno imbarazzo di quanto avrebbero potuto immaginare.

Poi il cibo era buono. La pasta con i ricci slittava sulla lingua, liscia e salata. A ogni forchettata, a Luisa pareva di mettersi in bocca un groviglio di mare. Non era brava ad arrotolare gli spaghetti, però. A casa sua non si mangiavano quasi mai. Loro erano abituati a polenta, patate, ravioli semmai, come quelli che le avevano buttato via la mattina.

La mattina! Quanto poco tempo era passato. Solo mezza giornata fa era seduta davanti al vetro che la separava da suo marito. Con una piccola scossa, Luisa si rese conto di quanto fosse ancora vicina al carcere dove era rinchiuso.

Risucchiò con forza uno spaghetto che non aveva voluto saperne di arrotolarsi intorno alla forchetta.

"Se vuole aiutarsi con questo..."

Maria Caterina le stava porgendo un cucchiaio. Luisa lo prese con gratitudine e cominciò a usarlo insieme alla forchetta. La presa sugli spaghetti le fu subito molto meno complicata.

Paolo, invece, alla pasta lunga c'era abituato e l'arrotolava senza problemi. La sua attenzione fu attratta da tre lettere incise sul manico delle posate: IPP.

"ISTITUTO PREVENZIONE PENA" spiegò Nitti seguendo il suo sguardo. "Sono della mensa del carcere."

"'Prevenzione'?" fece Paolo. "Un po', diciamo, in ritardo come parola."

"Eh, lo so... Ma qui è tutto, sempre, in ritardo. Il Palazzo di Vetro, ad esempio. Sono anni che è in costruzione. Siete fortunati che ci hanno fatto arrivare almeno un materasso. Ne avevamo ordinati due."

La pasta con la polpa di riccio era finita. Maria Caterina tirò fuori le spigole dal forno e spedì i bambini a lavarsi i denti. A loro il pesce con le spine non piaceva e poi dovevano andare a dormire, l'indomani avevano scuola. Nitti si alzò per accompagnarli e dare il bacio della buonanotte. Paolo e Luisa restarono a fissare i movimenti precisi con cui Maria Caterina apriva i pesci e ne toglieva lische e teste.

"Ho imparato a cucinare il pesce da quando sono qui" disse. "A casa mia non lo mangiavamo mai. Noi siamo gente di terra, il mare non lo conosciamo."

Cominciò a raccontare che i genitori non erano molto contenti che lei fosse venuta a stare su quest'Isola di guardie e criminali. Ma Pierfrancesco aveva promesso che non ci sarebbe stato pericolo; i suoceri si erano fidati di lui, e ora gli volevano bene. E infatti lei non aveva mai avuto motivo di temere i detenuti. Anzi, a volte quelli sconsegnati le portavano verdure dall'orto o grappoli d'uva dalla vigna, anche se sarebbe stato proibito, e con i bambini erano sempre gentili.

Solo una volta Maria Caterina aveva avuto paura, quando era evaso un pezzo grosso della malavita. Aveva strangolato una guardia a mani nude, era scappato e la sua compagna era venuta a prelevarlo con un gommone. Avevano scelto un giorno di vento forte come oggi e le motovedette erano dovute rimanere in rada. Avevano organizzato l'evasione apposta durante il maestrale. Non potevano neanche venire gli elicotteri dal continente; con tutto quel vento non avrebbero potuto atterrare. L'avevano pensata davvero bene, anche se venire fin sotto gli scogli con quelle onde era da suicidio. Ma quella ci riuscì e si portò via il suo uomo. Nessuno poteva immaginarsi una cosa del genere. Erano tutti sicuri che con quella tempesta non fosse possibile fuggire. L'evaso era già arrivato in terraferma da una settimana, che sull'Isola lo stavano ancora cercando.

"Ecco" concluse Maria Caterina, "in quella settimana sì che ho avuto paura. Ho tenuto dentro i bambini, in casa e anche in classe, non li lasciavo andare fuori a giocare. Altrimenti no, non ho mai avuto preoccupazioni."

"Lo vedete?" disse Pierfrancesco. "Pure mia moglie è diventata come il guardiano del faro."

Era tornato dalla stanza dove aveva messo a dormire i bambini, ed era un po' che ascoltava in silenzio.

"A forza di stare sull'Isola, le è venuta la fame di parole."

"E a lei?" gli chiese Paolo. "A lei no?"

"No, a me no. Io ci sto bene qui" disse Nitti. "A me quella fame non mi viene."

Maria Caterina fece una faccia che a Paolo ricordò quella del figlio alla fine dei colloqui: di chi resta in prigione, solo, dietro un vetro. Eppure era una donna con una bella famiglia e un uomo che, chiaramente, le voleva bene. Ne fu stupito, e non se lo spiegò.

Luisa invece non stava ascoltando. Si stava chiedendo se anche lei sarebbe venuta a prendere il marito evaso con un gommone. Ci mise poco a darsi la risposta.

No. Anche senza maestrale.

"Venga con me" le disse Maria Caterina quando finirono di cenare. "Le do le coperte per la notte."

Luisa la seguì nella stanza matrimoniale. Appena furono dentro, Maria Caterina si chiuse dietro la porta. Poi si guardò furtiva alle spalle, le si avvicinò e abbassò la voce.

"Senta. Vorrei chiederle una cosa. Ma non so come cominciare."

Luisa, per la sorpresa, aveva gli occhi sbarrati. Maria Caterina aveva avvicinato il viso al suo. Si morse il labbro, sbatté gli occhi, poi si fece coraggio e parlò.

"Mio marito mi ha detto che c'è stato un incidente. E che per questo avete perso la motonave."

La piccola stanza era quasi tutta occupata dal letto e da un cassettone. La porta era lontana. Luisa cominciava a sentirsi in trappola.

"È vero" rispose.

"E che il vostro furgone s'è scontrato con la campagnola con cui faceva una traduzione."

"'Traduzione'?"

"Il trasporto. E che il detenuto gli ha macchiato la giacca di sangue perché si era ferito."

"Sì, infatti, aveva il sangue dal naso."

"Allora lei l'ha visto, quell'uomo?"

"Sì. Ma non bene. Era per terra, sdraiato. Però sì, l'ho visto. Ma scusi, perché mi..."

Maria Caterina la interruppe, ormai preda come era della sua agitazione, le parole che le uscivano di bocca in fila indiana come formiche.

"Mio marito dice che quell'uomo ha sbattuto la faccia. Per questo sanguinava."

"Se le ha detto così, sarà vero. Ma non ho capito, cos'è che vuole sapere?"

Maria Caterina tacque. Restò con le labbra dischiuse, la fronte aggrottata.

Solo dopo un po' fece: "Lo chiedo a lei perché è una donna. Gli uomini queste cose non le raccontano."

"Quali cose?"

Più che disagio ora Luisa provava paura. Sentiva confusamente che ciò che questa donna voleva sapere c'entrava anche con lei, con la sua vita, sicuramente con il carcere e quindi con suo marito. L'idea non le piaceva.

Maria Caterina, con l'aria di chi si fa coraggio, riprese velocissima a parlare: "Voglio sapere se quell'uomo si è fatto male davvero nell'incidente o se è mio marito che l'ha picchiato."

Si passò una mano sugli occhi e se li stropicciò, come se le fosse calata addosso un'improvvisa stanchezza.

Rimase così, la mano che le copriva mezzo viso: le narici, la bocca, una guancia. Da dietro la fragile protezione delle proprie dita piantò gli occhi in quelli di Luisa.

"Ecco. L'ho detto. La prego" e davvero aveva il tono di un'implorazione, "mi dica com'è andata."

Ma Luisa scosse la testa.

"Io non lo so."

Maria Caterina tirò un profondo sospiro. Non tolse la mano da sopra la faccia.

Continuò a tenerle lo sguardo ficcato addosso come un arpione.

"Non lo sa?"

"No."

"Non l'ha visto?"

"No. Gliel'ho detto. Li ho visti solo quando siamo scesi."

"Quando siete scesi?"

"Sì. Dal furgone. Dopo. Mi dispiace. Non posso aiutarla."

Soltanto adesso Maria Caterina abbassò la mano dal volto. Lo sguardo le cadde per terra come un'arma spuntata.

Luisa la vide incurvare la schiena e abbassare, anche se di poco, la testa. Il senso di minaccia era svanito. Ora veramente avrebbe voluto poterla aiutare. Ma come?

"Però, senta..." disse dopo qualche istante.

"Cosa?"

"No, niente. Solo che..." Luisa alzò le spalle. "A me, suo marito, non mi è sembrato proprio un uomo cattivo."

A Maria Caterina venne una specie di sorriso, ma senza la luce.

"No. Infatti. Non lo è."

***

Tornarono verso il Palazzo di Vetro che il buio era già fondo. L'equinozio era passato da poco e le giornate erano sempre più brevi. Dal mare veniva un chiarore e Paolo si chiese se da dietro le nubi stesse per sorgere la luna. Le luminarie della raffineria oltre lo Stretto sembravano il richiamo di un pianeta lontano. D'improvviso, tra i fari della camionetta, apparvero due piccole luci feroci.

"Cos'era?" chiese Paolo. "Un cinghiale?"

"No" fece Nitti. "I cinghiali hanno l'occhio opaco, come gli asini. Deve essere un gatto."

Nitti accese il cercapersone sul tetto.

"E se è qui, ci sarà un motivo..."

Allungò fuori la mano dal finestrino e fece roteare il faro, illuminando dapprima la strada, poi tutto intorno. Quando arrivò a puntarlo sullo stagno retrodunale lì accanto, emise un sibilo di soddisfazione.

"Ecco lì, cosa sta puntando..."

A mollo su una zampa rialzata, un airone si stagliava chiaro contro il nero dell'acqua stagnante. Sull'argine un gatto striato, dagli occhi gialli come zolfanelli, lo teneva impassibile sotto osservazione.

Poi Nitti rivolse il faro dall'altro lato della carreggiata, verso la spiaggia. A Luisa sfuggì un piccolo grido di meraviglia.

La superficie del mare era agitata da una moltitudine di forme argentate. Si slanciavano fuori dal pelo dell'acqua, per un istante brillavano nel cono di luce del cercapersone, poi si rituffavano con arco perfetto nelle onde scure. Erano tante, tantissime.

"Muggini" disse Nitti.

La prima volta che Paolo era venuto a visitarlo sull'Isola, il figlio gli aveva fatto una confessione. La cosa più brutta del carcere, gli confidò, la privazione più dura, quella più difficile da sopportare, non era la contiguità con altri corpi immiseriti ed estranei. Né le vessazioni dei secondini. Né le violenze, le strategie e le congiure tra detenuti. Né i cibi insapori. Né l'assenza di donne. Né gli affetti marciti.

“La notte” gli aveva detto il figlio. “Mi manca la notte, soprattutto.”

Dopo un po’ che stava sull’Isola, raccontò al padre, aveva chiesto a un agente di dirgli com’era, lì, il mare di notte. Quello gli aveva risposto: “È nero.”

Paolo ora guardava le onde ribollire di quelle virgole luminose e con tutto se stesso desiderò trovare le parole per descriverlo al figlio.

“Questi li lasciamo in pace” disse Nitti rimettendo in moto. “Oggi di pesce ne abbiamo mangiato abbastanza.”

***

Chissà che ora era. Paolo aveva infilato l’orologio nella tasca della giacca, che aveva appeso alla sedia da barbiere su cui s’era accomodato alla meno peggio. Era dagli ultimi giorni di Emilia in ospedale che non passava la notte su una poltrona.

Luisa dormiva sulla branda. Avevano tolto il cellophane dal materasso e fatto il letto con le lenzuola e le coperte prestate da Maria Caterina. Nitti stava su una delle sedie e teneva le gambe allungate su altre due affiancate l’una all’altra. Russava piano.

Dev’essere ancora più giovane di quanto sembra.

Paolo si alzò a guardare fuori dalla finestra del corridoio. Era l’unico pezzo di vetro che giustificasse il pomposo nome di quell'edificio. Si ricordò di quello che gli aveva detto Nitti arrivando.

"Molte cose qui non ci sono, c'è solo la parola."

Una frase che poteva riassumere bene anche l'esistenza del figlio e dei suoi compagni. Una vita di cose che non ci sono davvero, c'è solo la parola.

La prima, sicuramente, era *rivoluzione.* Che non è brutta in sé, pensò Paolo, né come cosa né tanto meno come parola. Tutt'altro. È brutta se, appunto, c'è solo la parola ma non la cosa. In Francia nel 1789 c'erano la parola e anche la cosa. Nel 1848 in tutta Europa dilagò la parola ma soprattutto la cosa. Anche in Russia nel 1917 c'erano entrambe, così come a Cuba nel '59. Ma nell'Italia del 1979, per quanto la parola *rivoluzione* fosse scandita, ciclostilata, scritta sui muri in modo quasi ossessivo, la cosa no, la cosa non c'era. La gente non aveva imbracciato i forconi, gli elettori non avevano smesso di votare, i cittadini non stavano dando fuoco al Parlamento.

Solo l'anno prima, quando con un'azione militare efficace e spietata era stato rapito lo statista e uccisa la sua scorta, in tanti pensarono che nel Paese sarebbe scoppiata, la rivoluzione. Non fu così. A quanto stava succedendo fu dato un altro nome: *violenza.* E il Paese ne pianse le vittime.

Così Paolo si spiegava le cose. Era semplice, in fondo. Quando alla parola corrisponde la cosa, si sta facendo la Storia. Ma se c'è solo la parola, allora è follia. Oppure inganno, mistificazione.

E poi, com'erano brutte, le loro parole! Pullulavano nei volantini, nelle deposizioni in tribunale, nei colloqui con il figlio. Paolo imparò che *attenzionare* voleva dire: raccogliere informazioni sulle vittime di futuri attentati. *Compartimentarsi*: non sapere niente l'uno dell'altro in clandestinità. *Autofinanziamento*: rapina. *Proletariato*: loro e i loro simpatizzanti, indipendentemente dalla classe sociale. *Superfetazione ideologica*: qui Paolo aveva gettato la spugna – cosa volesse davvero dire, non l'aveva mai capito.

E le frasi fatte: *Dalla forza della ragione alle ragioni della forza*; *innalzare il livello dello scontro.* Concetti semplici come "voglio parlarti" erano ridotti a ideologia: *Devo socializzarti una cosa.* Perfino *guerra*, parola difficile da rendere più brutta di quanto già non fosse di suo, si colorava di ridicolo e insieme spietatezza in bocca al figlio: "Siamo in guerra, papà, e tutti devono scegliere su che fronte stare."

La miseria di quel linguaggio. La bruttezza. L'autoinganno. L'apoteosi di questa perversione s'era compiuta all'udienza di un processo in cui gli imputati, alla notizia di un ulteriore assassinio compiuto dai compagni, avevano cominciato a scandire una frase di Lenin: "La morte di un nemico di classe è il più alto atto di umanità possibile in una società divisa in classi."

Una volta il figlio disse a Paolo, parlando di una sua vittima: "Se stava buono lo gambizzavo soltanto. Ma ha avuto una reazione isterica e l'ho dovuto ammazzare."

Il padre si era messo a gridare.

"Se stava buono? Se stava buono!?"

Nel parlatorio, il vocio di detenuti e parenti s'era strappato come un tessuto e tutti si erano voltati a guardarlo. Ma Paolo era fuori di sé dalla rabbia e non se ne accorse nemmeno.

Quella fu l'unica visita che interruppe prima dello scadere del tempo. Si alzò e si allontanò dal tavolo dei colloqui a passi lunghi e veloci, di furia, che appena uscì dal carcere gli si tramutò in gelido dolore. Si sentì avvolto dal ghiaccio per settimane.

O quella volta che venne a sapere che un compagno di cella del figlio era morto. Ricordava bene quel ragazzo magro con il viso coperto dall'acne. Trascorreva le udienze guardando per terra, si riscuoteva solo per unirsi ai compagni quando attaccavano a scandire slogan. Una volta due di loro avevano cominciato a fare sesso lì, nella gabbia degli imputati, di fronte a tutti. Era scoppiato un finimondo: i giudici intimavano di rispettare la corte, i detenuti gridavano frasi di scherno, i parenti delle vittime urlavano la loro indignazione. Quel ragazzo era stato l'unico a restare in silenzio, immobile, il mento sul petto, gli occhi sbarrati.

Paolo chiese di cosa fosse morto. Il viso del figlio si fece opaco come una palude.

"Aveva tradito" rispose. "Era uscito dall'organizzazione. Se uno vuole mollare può farlo, però deve dirlo. Lui invece non ci aveva detto niente. Io e altri due compagni siamo dovuti intervenire."

Intervenire.

Un'altra parola con la cancrena.

Paolo si era scoperto contento – sì, contento – che Emilia fosse già morta da mesi.

Ora cercava di scacciare quelle parole che gli toglievano il sonno. Quando questo gli succedeva, e non era di rado, cercava di pensarne altre. Vive, animate, non dozzinali: *trascolorare*, *balena*, *clarinetto.* A Emilia da giovane piaceva molto *stralunato*, poi con la mezz'età la sua preferita era diventata *pungitopo.* Anche *muggine* è bella, pensò Paolo, una parola sorprendente, non è ciò che ti aspetti ma se la tieni in bocca è come un richiamo. E *maestrale*, bisognava ammetterlo, è un nome formidabile per un vento, molto più di *libeccio* o *scirocco.* Carismatico, dotto, severo. Equanime.

Ripensò anche alle tante cose viste oggi di cui non avrebbe saputo dire il nome. I buffi uccelli a patata che occhieggiavano l'acqua mentre Nitti pescava. I tanti tipi di arbusto che costeggiavano la strada sterrata. Le rocce diverse di colore e grana. Paolo non aveva sentito la mancanza di quei nomi. Per niente. Anche l'Isola, pensò, del suo nome avrebbe potuto benissimo fare a meno. L'Isola c'era, e tanto bastava.

Ecco. La *rivoluzione* del figlio era una parola altisonante ma una ben misera cosa; l'Isola era l'esatto contrario.

Neanche Luisa dormiva. Giaceva a occhi chiusi sul materasso appena liberato dal cellophane, e in testa aveva un gran turbinare. Pensava ai salamini sventrati, alle chiocciole di quand'era bambina. A quando dopo l'incidente tutti s'erano messi a ridere tranne lei che si era sentita così stupida. Al cinghiale sotto la pioggia.

Alla figlia che al telefono aveva detto "Qui tutto a posto, non ti preoccupare" e le era venuto uno spasimo di gratitudine quasi doloroso. Ai muggini illuminati che saltavano sopra il pelo dell'acqua. Al viso di Maria Caterina.

Si voltò appena di lato, aprì gli occhi. Nitti era immobile, allungato sulle sedie, la testa su uno dei cuscini che si era portato da casa. Russava piano.

Luisa pensò agli agenti di Volterra, quelli che stavano per linciare suo marito dopo che aveva ucciso il loro collega. Era stato salvato dall'arrivo del direttore, le dissero. Le comunicarono anche che l'avrebbero trasferito in un carcere di massima sicurezza. Cioè qui.

Paolo non era più sulla sedia da barbiere. Stava in piedi, davanti alla finestra, la testa rivolta in su, verso la luna. Era improvvisamente spuntata da dietro le nubi, era quasi piena.

Luisa gli sentì fare uno di quei sospiri così simili a gemiti che le avevano stretto il cuore dalla compassione.

Chissà se se ne rendeva conto, quando gli uscivano. Le sembrava di no. Lo vide infilarsi la mano nella tasca dei pantaloni, estrarne il portafoglio, cercarvi qualcosa.

L'edificio mezzo completato vibrava di spifferi e fruscii. Dal piano superiore proveniva un sibilo di bufera. Doveva essere la tromba delle scale ad amplificarlo perché fuori, lo si capiva dalle fronde del fico davanti al portone, il vento era molto calato. Paolo aveva in mano un pezzo di quotidiano. La luce della luna illuminava il titolo e la foto: una bambina molto piccola a un funerale.

"Chi è?"

Paolo trasalì. Non s'era accorto che Luisa gli si era avvicinata. Ora era in piedi accanto a lui.

"Si chiama Angelina" disse guardando il ritaglio che teneva in mano.

"Un bel nome."

"Sì. Molto bello."

Bisbigliavano entrambi. Paolo continuò a fissare la foto.

"È la figlia di uno degli uomini che mio figlio ha ucciso. Qui è al funerale del padre. Aveva tre anni. Ora sta per compierne sei."

“Posso?” chiese lei tendendo la mano.

Lui le porse il pezzo di carta. Luisa lo prese e lo scrutò con attenzione. Quando glielo restituì, la luce della luna le entrò obliqua negli occhi chiari.

“Perché la tiene nel portafoglio?”

Lui tirò su rumorosamente con il naso.

Si pizzicò il lobo dell’orecchio.

Spostò il peso dal piede destro al sinistro, poi di nuovo al destro.

“Il giorno che arrestarono mio figlio, parlarono di lui tutti i telegiornali. E anche delle sue vittime, almeno di quelle accertate. La mattina dopo ero a scuola. Avevo i ragazzi dell’ultimo anno, stavamo facendo Kant.”

“Che cos’è?”

“Un filosofo.”

“Ah. Difficile?”

“Be’. A volte sì.”

Paolo guardò la luna. Adesso era libera dalle nubi e i crateri si stagliavano nitidi come impronte sulla neve nuova.

“La frase più bella che ha detto però non è difficile, per niente. *Due cose riempiono l’animo di meraviglia e venerazione: il cielo stellato sopra di me, la legge morale dentro di me.*”

“Bello” mormorò Luisa. “È vero, non è difficile.”

“No, infatti. Almeno, non da capire.”

La fissò come se volesse dirle una cosa che la riguardava, aveva anche già aperto la bocca per farlo, poi però la richiuse. Dopo qualche istante riprese a parlare. Sempre sottovoce, per non svegliare l'agente carcerario.

"Alla fine della lezione, si avvicina alla cattedra un ragazzo. Era un bravo studente, uno di quelli che seguono, fanno domande, danno soddisfazione ai professori. Uno di quelli che vanno sicuramente bene alla maturità. Aspetta che i compagni siano tutti usciti per la ricreazione prima di parlare. Poi mi fa: 'Dica a suo figlio che tanti compagni sono fieri di quello che ha fatto.' E mi mostra il pugno chiuso. Così."

Paolo alzò la mano a pugno. Con gesto meccanico, come fosse la leva di un ingranaggio industriale.

"Quel giorno stesso sono andato dal preside e ho chiesto l'aspettativa. Non sono più tornato a scuola."

Tacque. Lei pure, come aspettando che continuasse la sua spiegazione.

In Liguria dove andavano in vacanza, il figlio di Paolo giocava fin da piccolo con un bambino della sua età. D'estate erano inseparabili. Aveva dieci o forse undici fratelli, la sua era una famiglia di contadini. Era molto intelligente. A quattordici anni fu mandato a lavorare in una segheria a Sestri Levante. Quell'anno a giugno, quando il figlio di Paolo arrivò dalla città, corse a cercarlo come faceva sempre. Ma l'amico non aveva più tempo per giocare con lui. Adesso si svegliava all'alba per prendere il primo treno dei pendolari, tornava a casa all'ora di cena. Non se ne parlava più, di andare insieme a caccia di polpi. Suo figlio invece era in vacanza, faceva il liceo classico, aveva davanti un'estate di mare e di ozio come tutte le altre. Si vergognò tantissimo. Era la prima volta che toccava di persona l'insopportabile spreco di una società divisa in classi sociali. Se avesse continuato a studiare, quel ragazzo avrebbe avuto sicuramente ottimi risultati. Avrebbe potuto fare lo scienziato, il medico, il professore.

E invece no, a quattordici anni era entrato in segheria e il massimo cui poteva aspirare era diventare, un giorno, operaio specializzato.

Fu allora che Paolo cominciò a insegnare al figlio a non accontentarsi del mondo così com'è, a volerlo più equo. A raccontargli del filosofo di Treviri che aveva immaginato una società in cui a ciascuno sarebbe stato dato secondo i suoi bisogni, e alla quale ognuno avrebbe contribuito secondo le proprie capacità. Un mondo in cui un intelligente figlio di contadini avrebbe potuto studiare e mettere a frutto il proprio talento. Tutti ne avrebbero guadagnato: l'individuo, la società. Cosa si può volere di più bello, di più umano?

Sarebbe stato il paradiso in terra. Solo che ora in suo nome, come già troppe altre volte in quel secolo maledetto, il figlio e i suoi compagni stavano creando un inferno.

Ed era Paolo che gli aveva insegnato a volerlo, quel paradiso.

"Ho capito di essere un cattivo insegnante" rispose finalmente a Luisa.

Lei restò in silenzio. Non offrì commenti. Paolo ebbe l'impressione che assorbisse quello che lui le diceva come fa la terra con la pioggia: l'acqua scompare ma continua a esistere, anche se nessuno sa in quale falda, da quale sorgente, riaffiorerà.

Dopo qualche istante Luisa indicò di nuovo il ritaglio di giornale.

"Ma questo. Perché lo tiene in tasca?"

Lui abbassò gli occhi sul pezzo di carta e li tenne fissi lì. Come se in quelle lettere, in quella foto, nel cappotto di quella bambina, ci fosse la risposta alla domanda. Diede uno di quei suoi sospiri dolorosi, quasi un guaito e questa volta fu chiaro che se n'era accorto anche lui. Le rivolse uno sguardo così inerme, penoso e sconfitto che a Luisa per un attimo si fermò il respiro.

"Perché è l'ultima cosa di mio figlio che mi rimane."

Luisa dimenticò di espirare. Le spalle le restarono alzate e per un lungo istante rimase in apnea.

Quando respirò di nuovo, gli occhi le si erano riempiti di lacrime. Alzò un braccio. Allungò la mano. L'avvicinò al viso di Paolo e glielo sfiorò. Pianissimo, con la punta dei polpastrelli.

Paolo chiuse gli occhi. Inclinò appena la testa come per poggiarla meglio sulle sue dita. Rimase immobile, le palpebre abbassate, la guancia avvolta dalla mano di Luisa. Poi gliela afferrò e se la schiacciò sullo zigomo e di nuovo restò a lungo così, senza aprire gli occhi che erano come una scatola chiusa a custodire il suo dolore, tenendosi stretto quel palmo a consolargli la faccia. Infine, sempre di scatto, sempre a occhi serrati, le mise le braccia intorno e la tirò a sé.

Luisa non gli oppose resistenza. Si lasciò abbracciare, appoggiò la testa alla sua spalla e proruppe in singhiozzi. La scossero tutta, cassa toracica, spalle, bacino, gambe. Adesso era Paolo che le carezzava i capelli e lei piangeva, e più Luisa piangeva più lui glieli accarezzava. Con dedizione: sulla nuca, dietro le orecchie, sulla sommità del capo.

Dopo un po', con il naso impastato, Luisa provò a parlare.

"Mi scusi... Non è giusto... È lei che..."

Gli aveva bagnato la camicia di lacrime e muco.

"No, no" disse lui senza smettere di passarle la mano sui capelli. "No. Va bene così."

E avvolta dalle braccia di Paolo, Luisa pianse, pianse come non aveva mai fatto in tutta la sua vita. Pianse i dolori mestruali seduta sul trattore. Pianse i ravioli che la figlia piccola aveva invidiato e che erano finiti nella spazzatura. Pianse le scarpe maschili che da anni a novembre e ad aprile tirava fuori dalla scarpiera e lucidava. Pianse la bambina che prima aveva tre anni e ora sei e ne pianse il bellissimo nome. Pianse i figli che nel cortile di scuola si sentivano dire “Tuo padre è un assassino”. Pianse quest’uomo che fino a ieri non conosceva e dalla cui bocca uscivano suoni di pena. Pianse l’abbraccio che ora le dava. Pianse il compagno di bevute che suo marito aveva pestato a morte in una notte d’inverno, pianse suo marito pestato a sangue dai colleghi del secondo uomo che aveva ucciso. Pianse la propria paura di giovane sposa in cima alla montagna. Pianse la prima volta che era stata invitata a ballare, pianse il sorriso bello di cui si era innamorata. Pianse le perquise nelle anticamere dei parlatori. Pianse il pedofilo così gentile con i bambini. Pianse la giovinezza e l’infanzia, pianse il sapore della pasta con i ricci, pianse la figlia che le aveva detto “Non ti preoccupare”. Pianse perché non piangeva da quando aveva tredici anni e perché i suoi capelli non erano mai più stati accarezzati da quando, di anni, ne aveva dieci.

Quando cominciò a calmarsi, Paolo la condusse per le scapole verso il materasso. Lei si lasciò guidare come da un pastore. La portò fino al letto, poi andò a prendere la sedia da barbiere dall’altro lato della stanza. Era pesante e il piedistallo di ferro raspò in modo sgradevole sulle mattonelle. Si voltarono insieme verso Nitti, ma l’agente era sempre immobile sulle tre sedie. Non russava più, però.

Paolo accostò la sedia alla branda. Luisa era rimasta seduta inerte sul bordo del materasso come un fantoccio senza burattinaio, scossa solo ogni tanto da un singulto. Lui le mise una mano sotto la testa, gliela guidò in basso. Lei si distese docile, appoggiò il capo sul cuscino, raccolse le gambe e le infilò sotto la coperta di Maria Caterina. Paolo si sistemò accanto a lei sulla sedia da barbiere e le prese la mano.

I singhiozzi di Luisa si fecero sempre più radi, come i tuoni di un temporale portato via dal vento. Pian piano, si chetò.

Restarono così a lungo: lei sdraiata, lui seduto, entrambi con gli occhi chiusi, uniti solo dalla presa salda delle loro dita. Il riquadro di luce della finestra si stagliava sul pavimento di mattonelle e lambiva i piedi accavallati di Nitti. La luna piena mandava riflessi sul cuoio lucido delle sue scarpe.

Paolo si era lasciato sprofondare nello schienale della sua sedia. Era talmente spossato da non sentirne quasi più la scomodità. Non gli venne in mente l'ultima volta che aveva abbracciato una donna (la sorella, al funerale di Emilia), o le aveva accarezzato i capelli (Emilia, nella bara): il sonno gli gravava addosso come una coperta invernale e ora desiderava solo cedere a quel peso.

Si stava addormentando quando Luisa chiese con voce nasale: "Perché ridevate?"

Paolo, con il tono allarmato di chi è riportato indietro sulla soglia della coscienza, esclamò: "Eh?"

"Quando ci siamo scontrati. Cioè, subito dopo."

Paolo alzò la testa per guardarla in viso.

"Non capisco..."

"La cosa della marchesa nuda."

Luisa pareva perfettamente sveglia.

Paolo sbatté le palpebre, sbigottito. Solo dopo un po' riuscì a ricordare la battuta dell'autista del furgone. Le rispose con voce impastata: "Quella sugli specchi?"

"Sì. Che c'era da ridere se si vedeva brutta?"

Ormai Paolo era stato strappato al dormiveglia. La fissava incredulo. Davvero gli stava chiedendo di spiegarle, adesso, quell'insulsa anzi incongrua freddura? Gli tornò in mente il misto d'imbarazzo e di assurdità che aveva provato nello spogliatoio della piscina dove aveva portato il figlio treenne. Al cambio del costume, il bambino aveva indicato i genitali del padre.

"Anche il mio pisellino diventerà così brutto?" gli aveva chiesto preoccupato.

Paolo avrebbe voluto rassicurarlo che no, il suo pisellino sarebbe sempre stato bellissimo, oppure provare a convincerlo che così orribile un pene adulto, in fondo, non era. Invece era scoppiato a ridere, l'aveva preso in braccio e ricoperto di baci.

"Non *si* vedeva brutta" rispose a Luisa. "*Se la* vedeva brutta."

Lei restò in silenzio. Rifletteva. Le sue dita avevano ripreso saldo possesso di quelle di Paolo.

"Niente. Non mi fa ridere. Sono stupida."

"Questo non è vero" replicò lui.

Luisa tirò su un'ultima volta con il naso.

"E invece sì. Vorrei anch'io essere intelligente. Capire la filosofia."

"Bell'affare!"

Luisa sospirò pensosa.

"Mah. Adesso dormiamo" disse.

"Sì" fece lui. "Dormiamo."

Sempre tenendosi per mano, sprofondarono subito entrambi in un sonno denso, da animali in inverno.

Solo allora Nitti aprì gli occhi. Chissà da quanto tempo era lì, che li ascoltava.

***

Paolo e Luisa si stropicciarono gli occhi, le narici piene di un aroma pungente e amaro. L'agente era venuto a svegliarli con il caffè. Maria Caterina gli aveva riempito il thermos che si portava sempre dietro nei ruoli di notte.

Fece bere prima Luisa e poi Paolo, tenendo per sé l'ultimo fondo. Come tazza usarono il tappo.

"È ancora caldo" mormorò Luisa.

Nitti indicò il thermos.

"Qualità tedesca. Me l'ha regalato mia cognata. S'è sposata a Stoccarda."

Dal riquadro di vetro della finestra veniva una luce abbagliante. Le nuvole erano state spazzate via. Era una mattinata di sole pieno.

"Potrei prestarvi dei vestiti puliti." Nitti indicò prima Paolo poi Luisa. "Noi due con la taglia più o meno ci siamo. Forse invece mia moglie è un po' più bassa di lei. Ma voi donne siete brave ad aggiustarvi le cose addosso."

Loro ringraziarono ma dissero che no, non era necessario. Andarono nei bagni dall'eccellente impianto idraulico, uno a testa neanche fossero in albergo. Ne tornarono molto rinfrescati.

Sentirono suonare un clacson. Poi, dopo una pausa e lo sbattere di una portiera, l'inconfondibile voce scabra come le rocce dell'Isola.

"Nitti!"

L'agente andò ad aprire il portone.

Sullo spiazzo davanti al Palazzo di Vetro c'era una campagnola della Diramazione Centrale.

"Buongiorno Dottore" fece l'agente.

"Quei due sono con lei?"

"Certo. Non li ho mai persi di vista."

Dietro le sue spalle erano spuntati Paolo e Luisa, e il direttore li squadrò in viso. Come per accertarsi che durante la notte non ci fosse stato uno scambio di persona.

“Ieri sono passato qui e non c’era nessuno. Dove eravate?”

“Forse è quando eravamo allo spaccio. Dovevano telefonare a casa.”

Paolo fece un passo avanti.

“Direttore, come lei sa siamo stati bloccati qui dal maltempo. Eppure il suo agente non ci ha lasciati mai da soli. Ci ha fatto la guardia neanche fossimo detenuti, non visitatori. Sappia che protesterò con il magistrato competente.”

Il direttore lo guardò con occhi privi di qualsiasi espressione.

“Ah. Ma davvero. Tremo per la mia carriera.”

Poi si rivolse a Nitti, come se l’argomento non riguardasse né Paolo né Luisa: “Verso mezzogiorno arriva la motonave. Il capitano mi ha telefonato. Dice che si ballerà però viene lo stesso. Lo sa che non posso tenerli qui un’altra notte.”

Girò il busto e fissò Paolo negli occhi.

“Perché questi non sono mica detenuti. Sono visitatori.”

E senza aggiungere una parola di commiato girò i tacchi, salì sulla campagnola e se ne andò.

I tre restarono immobili sulla porta finché l’auto fu scomparsa, poi Nitti si voltò verso Paolo.

“Protesterò con il magistrato competente...” disse ridacchiando. “Ma da dove le è uscito?”

Paolo alzò le spalle.
"Non lo so. Mi è venuto così."

Non avevano bagagli, i vestiti di ricambio non li avevano voluti, erano quindi pronti a partire. Quando uscirono sullo spiazzo per montare sulla camionetta, li accolse il profumo del grande fico. Ora che il vento era calato il suo aroma si spandeva ovunque, quasi insopportabile tanto era pregnante e dolce. Paolo dovette socchiudere gli occhi, investito dalla sua forza evocativa. Se avesse dovuto dire quale, più di ogni altro, fosse stato il profumo di Framura avrebbe risposto senza esitazione: quello del fico nel loro piccolo giardino. Per strapparsi al ricordo, si aggrappò alla maniglia e salì con un balzo sulla camionetta.

Avevano percorso pochi metri di strada tra le casette bianche quando Paolo – l'odore del fico ancora nel naso – vide il mare. Fu allora scosso da un pensiero improvviso, o meglio, da una folgorante comprensione.

Queste acque che attorniavano l'Isola, questo sole che ne accendeva i colori, questo cielo in cui volavano gli uccelli marini, erano lo stesso Mediterraneo che lambiva le coste di Framura, lo stesso sole che le scaldava, lo stesso cielo che si era incurvato su di lui, Emilia e il loro bambino mentre erano felici. E per la prima volta da quando veniva qui, in visita al carcere a regime speciale, questo non gli parve più una beffa crudele del destino.

Per quanto incomprensibile, forse insensato, gli parve un dono.

La motonave arrivò poco dopo mezzogiorno. Maria Caterina aveva portato bevande e panini alla frittata.

Li mangiarono seduti sul molo guardando le onde del mare ancora mosso che sbattevano a riva, le gambe penzoloni come turisti qualsiasi alla fine di una vacanza. Seguirono da lì le operazioni di attracco, il lancio delle cime, il ribollire dell'acqua agitata dai motori indietro tutta, la posa della passerella.

Quando fu l'ora di imbarcarsi, Paolo andò a salutare Nitti. Si rese conto che non sapeva come. "Arrivederci" non lo riuscì a dire. Si limitò a stringergli la mano poi salì a bordo della motonave, il passo affrettato dall'imbarazzo e il dispiacere di non aver saputo esprimere ringraziamenti.

Anche Luisa strinse con forza la mano tesa dell'agente. Lei non si allontanò subito, invece. Gli rimase in piedi davanti esitando, tirò un sospiro, aprì la bocca poi, finalmente: "Senta, lei con noi è stato gentile. Per questo voglio dirle..."

Inspirò forte. Come un pugile prima di sferrare un pugno, o un bambino prima della puntura.

Le uscì tutto di un fiato: "È brutto quando una donna ha paura dell'uomo che ha nel letto."

E dopo una pausa: "Glielo dica, a sua moglie, che non deve avere paura."

Nitti la guardò come fosse un dentice che avesse iniziato, improvvisamente, a cantare.

Luisa non gli diede il tempo di trovare una replica adatta: in un attimo le sue gambe muscolose avevano già superato la passerella e l'avevano portata a bordo.

"Arrivederci" non gliel'aveva detto neanche lei.

La motonave salpò. L'agente carcerario Nitti Pierfrancesco, immobile macchia grigia sul molo di pietra bianca, la seguì con lo sguardo mentre faceva manovra per uscire dal porto, voltava la prua verso il largo, diventava piccola sull'orizzonte. Teneva gli occhi ben aperti affinché tutti sapessero che erano fissi sull'imbarcazione che si allontanava. In realtà era come un cieco, che anche con le palpebre sollevate non vede niente, percepisce solo i rumori. E ciò che l'agente carcerario Nitti Pierfrancesco sentiva, ciò che gli sciabordava nel cervello come le onde di una mareggiata, erano le parole di Luisa. Fino a quando si ridussero, proprio come la motonave che ormai era un puntino tra mare e cielo, a una sola.

Paura.

***

Anima mia, vita della mia vita, davvero hai paura di me?

Per tutto il giorno fu come avere una lisca di triglia in gola, un aculeo di riccio nel palmo della mano, un chiodo nel piede. Dovette però aspettare che fosse sera, il suo ruolo finito, le consegne passate, la cena cucinata e mangiata, i bambini addormentati, prima di rimanere da solo con Maria Caterina.

"Cos'hai detto a quella donna?" le chiese. "Perché mi ha parlato così?"

Erano seduti l'uno accanto all'altra al tavolo della cucina. Lei piegò la testa da un lato.

"Che ti ha detto?"

"Che tu hai paura di me."

Maria Caterina tirò le labbra così in dentro che sembrò una vecchia sdentata. Abbassò il mento sul petto e lo guardò da sotto in su.

"Non di te. *Per* te."

"Cosa vuol dire? Eh? Cosa vuol dire?"

La voce di Nitti si era alzata ma, appunto, Maria Caterina non era di lui che aveva paura.

Gli parlò, finalmente.

Gli disse di tutte le volte che l'aveva visto tornare a casa con macchie brutte sui vestiti, sulle scarpe, o anche solo sull'espressione della faccia, che poi era la macchia peggiore. Gli disse che lo sapeva che in un carcere per forza, prima o poi, i *disgusti* ci sono; e che se lui dopo un *disgusto* tornava a casa di umore nero era normale, era umano, andava messo in conto se ci si sposa con una guardia carceraria. Ma a volte lui tornava a casa così zitto, così cupo, così chiuso, e non raccontava niente, e fissava il piatto, e neanche i bambini riusciva a guardarli in faccia, e lei si sentiva morire. Perché temeva che quello che lui non le stava raccontando non erano le cose brutte che facevano i detenuti, che si sa, ne farebbero una al giorno infatti mica per niente stanno in prigione, ma le cose che…

Maria Caterina si bloccò. Abbassò le palpebre e per un attimo restò a occhi chiusi come una sonnambula.

"… Le cose che fai tu."

Solo quando la frase era stata detta tutta, lo fissò in viso.

Lui non la guardava. Aveva gli occhi sbarrati ma rivolti a terra. Taceva.

Maria Caterina continuò.

"Parlami, Pierfrancé. Prometto: non metto bocca, non dico niente. Ma se non parli con me, con chi puoi parlare?"

Il corpo di Nitti era perfettamente immobile ma dentro, nella testa, c'era un turbinare così vorticoso che il maestrale di ieri sarebbe parso quiete, a confronto. Ripensava alla volta che aveva ficcato in un cesso la testa di un camoscio che gli aveva detto: "Succhiami il cazzo, secondino." A quando aveva fatto il palo alla porta di un ufficio perché non entrasse nessuno, mentre un collega dava in tutta calma una lezione a un detenuto che lo provocava da mesi. A quando lui e altri tre agenti presero un paio di politici che non ne volevano sapere di stare alle regole, li portarono su una roccia a picco sul mare, tirarono fuori le pistole e finsero un'esecuzione. All'odore di merda di uno dei due che si era tutto sporcato per il terrore. A quando aveva preso a pugni e calci un altro ed erano dovuti accorrere i colleghi per toglierglielo di sotto. A quando ne aveva tenuto fermo un altro ancora mentre un collega gli pisciava addosso, e un po' di piscio gli era finito sui pantaloni. Se lo meritava, quel camoscio, erano mesi che molestava tutti, soprattutto i più deboli, e infatti nessuno era accorso in sua difesa benché si fossero messi apposta nel cortile perché tutti vedessero la sua umiliazione.

A quando aveva visto la prima volta Maria Caterina, a quando per la prima volta ci aveva fatto l'amore.

A quando queste cose lui non le faceva.

A quando queste cose lui neanche se le immaginava.

Alla puzza di sangue e di paura di un uomo pestato.

Alla disperazione immobile che avvolgeva certi detenuti come una bara e che del carcere era, in assoluto, la cosa peggiore.

Alla faccia che avrebbe fatto lei, se tutto questo l'avesse saputo.

Il busto gli si piegò in due e la testa gli cadde sul petto di Maria Caterina, come un albero spezzato dal fulmine che crolla su un campo di grano. Schiacciò la faccia contro quella morbidezza così conosciuta, così necessaria. E capì che non le avrebbe mai trovate, le parole che lei gli chiedeva.

ALTO MARE

La motonave attraversò lo Stretto e arrivò sull'isola maggiore che mancava poco all'imbrunire. Attraccare fu un sollievo per tutti: si era ballato molto, qualche passeggero aveva vomitato. Anche Luisa scese dalla passerella più pallida di quando era salita. Paolo no. Da bambino, quando andava con i suoi in corriera dai nonni, teneva il naso ficcato in un libro nonostante le curve delle strade in collina. Neanche di mal di mare aveva mai sofferto.

Il maestrale aveva bloccato i traghetti il giorno prima e non ce n'erano più stati dopo quello con cui erano arrivati Paolo e Luisa. Alla capitaneria però li rassicurarono: stamane dal grande porto a Nord ne era salpato uno. Avrebbe fatto scalo lì solo un paio d'ore, poi sarebbe ripartito per la traversata notturna. Il mattino dopo si sarebbero svegliati sul continente.

Entrarono nel bar vicino alla biglietteria. Aveva il pavimento coperto di segatura e tavolini di formica macchiata. Li servì una cameriera dall'aria rancorosa. Dopo un veloce caffè al banco non ebbero bisogno di consultarsi per sapere che entrambi ne volevano solo uscire.

La verità è che non avevano nessuna voglia di stare al chiuso, nonostante il vento. Si ripararono dietro a un muretto sul molo per non prenderlo in faccia. Senza parlare, tenevano gli occhi sulla sagoma dell'Isola al di là dello Stretto. Uniforme e scura, si stagliava contro il cielo che emanava ancora una luce diffusa. Solo una fila di lumini punteggiava la sua sagoma nera; dovevano essere le case della Diramazione Centrale.

Era ormai quasi notte quando individuarono al largo i fari del traghetto che stava per arrivare. Li videro solcare il mare colore del piombo e farsi sempre più grandi.

Solo allora si ricordarono che il loro biglietto di ritorno era per il giorno precedente. Dovevano cambiarlo prima che iniziassero le operazioni d'imbarco. Si alzarono un po' storditi da tutto il vento che avevano preso e corsero verso la banchina.

Le loro prenotazioni erano per il traghetto annullato per maltempo, quindi il bigliettaio non fece obiezioni ad aggiornarle. Paolo aveva una cabina singola, Luisa solo il passaggio ponte. Come per l'andata, contava di dormire in una delle poltrone nel salone centrale.

Paolo si chinò verso di lei.

"Me lo permette, di offrirle la cabina? È da tre giorni che è in giro, domani ha ancora tanta strada prima di arrivare a casa. Non voglio che lei passi la notte seduta."

"Ma no, non c'è bisogno. Ci sono abituata a..."
Lui l'interruppe.
"Luisa. Lo so che c'è abituata. Alla fatica. A stare scomoda. Però mi farebbe piacere. Tanto. Posso?"
Lei chinò il capo. Cercava di nascondere il sorriso che le era nato dentro e da cui si sentiva come illuminata. Poiché non ci riusciva, annuì.
"Facciamo due cabine singole" disse Paolo al bigliettaio che aveva cominciato a dar segni di sonnolenta impazienza. L'uomo cominciò a staccare i biglietti ma Luisa, senza guardare in faccia Paolo, mise una mano sul banco.
"No. Scusi. Non due singole. Una doppia."
Paolo si voltò di scatto. Lei non ricambiò il suo sguardo. Lo teneva fisso sul bigliettaio, che aveva interrotto a metà lo strappo dei biglietti e ora li squadrava irritato.
"Insomma. Decidetevi. Cosa volete?"
Solo adesso Luisa alzò gli occhi su Paolo. Aveva in viso l'audacia e il trionfo di una bambina scoperta a rubare una torta, ma solo dopo che se l'è già mangiata tutta.
"Vogliamo una doppia" disse Paolo. E mise la sua mano su quella di Luisa.

Tennero le mani unite mentre il traghetto attraccava, durante la discesa degli automezzi, quando ai passeggeri fu dato il segnale di salire. Rimasero mano nella mano mentre facevano la fila alla tavola calda nel ponte centrale e si staccarono solo per prendere i vassoi e metterci sopra il cibo – non molto, nessuno dei due aveva fame. Mangiarono in fretta, poi intrecciarono di nuovo le dita come fidanzati. Guardarono insieme il telegiornale (bombe, processi, un ragazzo preso a sprangate dai fascisti), uscirono sul ponte senza mai smettere di tenersi per mano.

La prua del traghetto solcava l'onda lunga. Oltre i bianchi sbaffi di schiuma illuminati dai suoi fari, il mare era una vastità nera senza confini, molto più opaco del cielo con le sue stelle appuntite. Si distinguevano chiaramente l'Orsa Maggiore, la larga W di Cassiopea, perfino la Via Lattea, che pareva proprio indicare il cammino come una strada.

Né Paolo né Luisa mostravano fretta di andare a dormire, ma neanche riluttanza. Nessuno dei due si chiese se l'altro provasse imbarazzo. Nessuno dei due lo provava. Parlavano poco. A entrambi bastava stare vicini e tenersi per mano. Non si chiesero a vicenda se fossero stanchi, se avessero voglia di riposare. Semplicemente, a un certo punto, scesero le strette scale dal ponte di prua, attraversarono il salone del ponte centrale, percorsero il corridoio delle cabine, entrarono nella doppia che avevano prenotato.

***

Non si erano mai chiesti come sarebbe stato stendersi nudi insieme a una persona diversa da quella che avevano sposato. Paolo, perché il corpo di sua moglie gli aveva sempre dato un tale diletto che l'idea non gli pareva auspicabile. Luisa, perché la questione, semplicemente, lei non se la poneva.

La morte e gli arresti non cambiarono le cose. Rimase un'eventualità impensabile. Se non altro per mancanza di spazio mentale: di Paolo aveva preso possesso il dolore, di Luisa la fatica.

L'unica eccezione a questo nella vita di Paolo fu mentre era seduto fuori dalla sala operatoria e aspettava che terminasse il secondo, inutile, intervento all'intestino di Emilia. Improvvisamente, contro la moglie che stava per morire e lasciarlo solo, gli venne una specie di furia di risentimento. Per un vertiginoso istante Paolo si trovò a odiarla. In quel momento arrivò l'infermiera che gli annunciava la fine dell'operazione. Tutta la rabbia di Paolo si sciolse in un fiotto acuto di desiderio per la carne di questa ragazza, così giovane, così sana, ed ebbe un'erezione. Il ricordo di quell'episodio, di cui ovviamente non parlò mai con nessuno, lo fece a lungo inorridire di vergogna. Gli procurava anche, però, una sorta di esaltazione. Come se una voce arcaica e premorale, ma molto convincente, gli avesse comunicato: *Tu sei vivo.*

Luisa era arrivata al matrimonio vergine, com'era giusto e normale. Le amiche sposate le avevano detto di non aspettarsi chissà che gran cosa dalla prima notte di nozze. Aveva diciotto anni, suo marito diciannove. Neanche lui aveva mai toccato una donna. Fu insomma un sollievo per entrambi, quella prima sera, quando la faccenda si poté dire conclusa. Né in seguito le cose migliorarono molto: i gesti di lui furono sempre limitati all'essenziale, e che lei ne facesse era inimmaginabile. Eppure nelle prime settimane, a volte, anche durante questi rapporti scabri, elementari, Luisa aveva provato sensazioni sconosciute. Improvvise tenerezze della carne. Non proprio piacere ma come una sua eco. Un languore. L'indistinta intuizione di un possibile, intimo dialogo tra il proprio corpo e quello del marito. Qualcosa che, se assecondato e nutrito, avrebbe potuto portare all'appagamento, forse perfino alla profondità.

In quei momenti Luisa, con lo sposo tra le braccia, sorrideva.

Nessuno però aveva mai detto a Luisa che una donna può godere insieme al suo uomo. Nessuno aveva mai detto a suo marito quanta pienezza e potere dà, a un uomo, far godere la propria donna. Nessuno dei due, insomma, imparò niente dall'altro. Pur di non essere ogni volta delusa, Luisa smise presto di ascoltare quelle sensazioni. Il suo corpo divenne sordo e cieco. Il marito rimase da solo con le proprie movenze. E ancora prima degli spigoli delle credenze e degli zigomi spaccati e di tutto quello che venne dopo, il letto coniugale si ridusse a luogo non d'amore ma di fisiologia.

Né Paolo né Luisa, quindi, avevano mai immaginato il proprio corpo nudo accanto a quello di qualcun altro. Ma c'era anche qualcos'altro che non avevano mai saputo. Che potesse esistere un amore lontano dalla terraferma del quotidiano, a mille miglia dalla costa dei progetti. Un amore che come un'imbarcazione d'altura non ha intorno nulla tranne una sconfinata distesa di rotte possibili che però, già si sa, né le circostanze né il tempo permetteranno di esplorare. E che tuttavia non è meno reale, meno profondo degli amori ancorati saldamente a riva.

Un amore in alto mare.

***

Le due cuccette erano una sopra l'altra. Usarono quella di sopra per appoggiare i vestiti e dormirono sotto, abbracciati.

Quando Paolo aprì gli occhi, era giorno da un pezzo. Si ritrovò solo nel letto. Luisa si era rivestita, la gonna copriva le gambe che lui aveva accarezzato. Era in piedi e stava frugando nei suoi pantaloni. La osservò in silenzio. Aveva chiarezza d'intento nei gesti, cercava qualcosa. La trovò: il portafoglio di Paolo, da cui estrasse il ritaglio di giornale. Quando si accorse che anche lui era sveglio gli fece un sorriso, per niente imbarazzata che la scoprisse a frugargli nelle tasche.

Gli sedette accanto sul bordo della cuccetta che odorava di loro. Tenne il foglio aperto e lo fissò a lungo, come volesse impararlo a memoria. La piega della carta attraversava il busto della bambina. Con gesto di cura Luisa si appoggiò il ritaglio alla gamba e lo stirò, come si sprimaccia una federa pulita prima di infilarci un guanciale. Paolo vide che Luisa aveva anche preso il proprio, di portafoglio; era accanto a lei, sulla coperta.

Luisa sollevò lo sguardò su di lui alzando la foto della bambina come una bandiera.

"Questa adesso la porto io" gli disse.

Disse proprio così. Non *tengo.* Non *conservo. Porto.* Come si direbbe a un compagno di cammino mentre ci si accolla il suo carico per un pezzo di strada.

Non aspettò che lui le desse il permesso. Con le dita forti che avevano molto lavorato, Luisa ripiegò il pezzo di carta e se lo infilò nel proprio portafoglio.

IN PAUSA DAL BUIO

Isola di ..., lì 1979

Al Maresciallo Comandante:

La informo di quanto segue: in riferimento al rapporto inviatole il giorno 3 c.m. riguardante la rivolta del 2 c.m. provocata dai detenuti della 1⁰ sezione del carcere a regime speciale (legge 354/1975) di cui sono capodiramazione,

La informo che a seguito degli ordigni rudimentali fatti esplodere dai detenuti rivoltosi e per mani degli stessi, con spranghe di ferro ricavato dalle brande n'è stato distrutto quanto segue:

n. 40 stipetti verticali, n. 40 stipetti orizzontali, 20 televisori, 20 lavabi, 20 water tipo turchi, 18 porte dei bagni, 20 finestre, 20 serrature dei cancelli interni, 15 serrature dei cancelli esterni, 50 tavolini, 50 sgabelli, impianto elettrico ed impianto idraulico nelle celle (questo ha provocato allagamenti), sono stati distrutti inoltre 100 pantaloni, 100 coperte, 120 lenzuola, 51 cuscini, con federa, hanno distrutto inoltre l'intercapedine del soffitto di 18 celle da loro occupate e l'intercapedine del soffitto delle sale ricreative. Per quanto sopra elencato, ho ritenuto dover rilevare i danni, inventariando il tutto per l'addebito ai responsabili e per conoscenza alla S.V.

Il brigadiere capo diramazione (SEGUE FIRMA)

Per presa visione e conferma:
Il sottufficiale ufficio matricola (SEGUE FIRMA)

***

Paolo non riusciva a prendere sonno. L'ultimo telegiornale prima della chiusura delle trasmissioni aprì con la bomba alla Standa di Vercelli. Solo per un soffio non c'erano stati feriti. Non erano arrivate rivendicazioni. Il notiziario era proseguito con un'altra bomba, questa volta inesplosa, sui binari ferroviari della Versilia. Testimoni oculari riferivano di aver notato una donna con forte accento straniero.

Paolo si alzò dal divano per cambiare canale. Schiacciò i pulsanti vagando tra minuscole emittenti locali finché incappò in un'immagine inconsueta: una ragazza in sottoveste che si reggeva a un palo sorridendo, i suoi vestiti sparsi per terra.

Accanto a lei, un presentatore con i baffi leggeva una domanda dal bloc-notes che teneva in mano. Lui non dava segno di volersi spogliare e questo, vista la sua sgraziata pinguedine, non poteva che essere un sollievo per gli spettatori. Nello studio risuonò il trillo amplificato di un telefono, poi una voce metallica che diede la risposta alla domanda.

Era esatta.

Il presentatore si complimentò con lo spettatore che da casa aveva chiamato e indovinato. Partì una musichetta trionfale, e ciò indusse la bella ragazza a fare una cosa che Paolo non aveva mai visto prima in televisione: si sfilò la sottoveste e la fece cadere in terra sul mucchio dei vestiti. Rimasta in mutande e reggipetto, rivolse al mondo intero un abbagliante, granitico sorriso.

Prima dell'interruzione per la televendita (un mobilificio), il presentatore fu preso dall'entusiasmo. Gli brillarono gli occhi, fremettero i baffi, vibrò l'adipe sotto la camicia, e con gli occhi fissi sul pubblico a casa – cioè su Paolo – scandì: "Noi siamo contro l'eros cupo. Noi l'eros lo smitizziamo, ci giochiamo, lo sdrammatizziamo. Giocate con noi a Pigiama Selvaggio!"

Smitizziamo. Sdrammatizziamo.

Che strane parole.

Paolo non le aveva mai sentite prima, in televisione.

Una volta, durante una visita, il figlio gli aveva raccontato un episodio avvenuto nel braccio a regime speciale, subito dopo il ritrovamento del corpo del politico rapito. Il momento più tremendo, minaccioso e oscuro di quegli anni. Tra i detenuti, i membri dell'organizzazione che l'aveva ucciso non escludevano l'eventualità di essere giustiziati in modo sommario come ritorsione. Non potevano non pensare a quanto era appena successo in Germania, nel carcere di Stammheim.

Erano uomini che avevano messo in conto di morire. Nessuno, mai, immaginava la propria vecchiaia. Molti di loro avevano visto cadere, sotto il fuoco delle forze dell'ordine, compagni cui erano uniti da legami di amicizia se non di amore. Eppure, il pensiero di avere la cella invasa da un commando paramilitare, di essere finiti con un colpo alla fronte mentre dormivano – lo sapevano che l'esecuzione si sarebbe svolta così, non certo di giorno – provocava in loro un terrore quasi impossibile da sostenere.

I nervi non ce la facevano più a sopportare quel misto d'incertezza, noia e tensione. Ogni rumore inconsueto, ogni colpo sullo spioncino, ogni silenzio prolungato, in quelle settimane terribili li convinceva che ecco, era stato dato il via all'azione, l'ultima ora era arrivata. L'adrenalina inondava il sangue, la pressione saliva, il cuore cominciava a battere all'impazzata.

La cosa si ripeteva innumerevoli volte al giorno, e ancora di più la notte. Prepararsi al pericolo, del resto, sarebbe servito a poco. Ignorarlo, impossibile. Se non volevano impazzire c'era un'unica soluzione: buttarla in ridere.

Ma come? Un giorno uno di loro, per fare lo spiritoso, aveva simulato un'irruzione con tanto di urla e finto passamontagna in testa (un vecchio maglione), e a un compagno dalla salute già malandata era quasi venuto un infarto. Non aveva riso nessuno. Ragionarono allora sul fatto che, se davvero lo Stato stava pianificando un blitz di giustizieri, l'obiettivo principale sarebbe sicuramente stato il capo dell'organizzazione. Era lui il primo che avrebbero fatto fuori, non c'era dubbio. I suoi cinque compagni di cella decisero che lo scherzo, quindi, l'avrebbero fatto a lui.

Quella notte passò tranquilla, per quanto può esserlo in una prigione. Nessun commando assassino, nessuna squadra speciale, aveva aperto il fuoco durante il sonno: al mattino erano ancora tutti vivi. Quando il capo dell'organizzazione si alzò, vide una riga ininterrotta di freccette disegnate sul muro. Andava dalla porta della cella fino alla sua branda. Le frecce indicavano con chiarezza la strada per arrivare, e mirare, a una testa. La sua.

"Il capo sei tu, non noi" gli spiegarono i suoi compagni di cella. "Se quelli vengono a farti un'esecuzione sommaria, non vorremmo che avessero difficoltà a trovarti. Ci scoccerebbe parecchio, se dovessero sbagliare persona."

Lui ci provò a cancellare le freccette, ma ogni notte i compagni di cella gliele ridisegnavano. Dovette rassegnarsi a dormire così, da bersaglio vivente, per settimane. Poi l'emergenza passò e si capì che, almeno per il momento, non sarebbe stato giustiziato nessuno.

Dal colloquio durante il quale il figlio gli aveva raccontato questa storia, Paolo era uscito di buon umore. Chi riesce a fare burle in mezzo all'orrore è ancora pienamente umano. E contro la febbre del dogma non c'è medicina migliore del riso. Quella fu la prima volta che Paolo pensò che forse, per suo figlio, c'era ancora speranza.

Sdrammatizziamo. Smitizziamo.

Parole salvifiche, quando si è in mezzo alla tragedia. Ma che dramma ci fosse in una ragazza in mutande, Paolo proprio non lo capiva. Si alzò di nuovo, spense il televisore. Ricascò sul divano e non si mosse per un bel po'.

La comunicazione dell'autorità penitenziaria era lì, aperta, sul tavolino davanti a lui. Gliel'aveva inoltrata l'avvocato del figlio. La prese in mano. La rilesse.

Che meticolosità, nell'inventario stilato dal capo diramazione. Che strana mitezza, che ineludibile buon senso – tutte cose che non dovevano essersi viste molto, durante la rivolta che aveva provocato così tanta devastazione.

Era durata poco meno di ventiquattr'ore. Subito dopo il carcere di massima sicurezza, quasi completamente distrutto, era stato chiuso. I detenuti, che si erano arresi solo in seguito a un lungo parlamentare, erano stati trasferiti in altri penitenziari sparsi per il Paese.

Quando Paolo aveva saputo della rivolta, dapprima dai soliti martellanti, implacabili, maledetti telegiornali, poi dalla telefonata dell'avvocato, il suo primo pensiero era stato: *Gli hanno fatto del male?*

Appena seppe che no, il figlio non era ferito, il secondo pensiero fu: *Luisa e io andremo in visita in carceri diverse e non ci incontreremo mai più.*

E man mano che passavano i giorni e la rivolta scompariva dai notiziari e i detenuti venivano trasferiti e tutti tiravano un sospiro di sollievo perché, a parte una guardia accoltellata a un braccio, la cosa era stata meno brutale di quanto si temeva, Paolo si accorse che non riusciva a smettere di pensare: *Non la rivedrò più.*

Quando il traghetto dove avevano passato insieme la notte era arrivato nella grande città portuale, ne erano scesi affiancati come una coppia qualsiasi. Mentre sbarcavano sul molo, lui le aveva dato il braccio e portato la borsa.

Erano andati in stazione, insieme avevano consultato l'orario. Avevano comprato i biglietti. Avevano fatto colazione al bar con caffellatte e cornetto, poi avevano aspettato che partissero i loro treni: quello di Paolo diretto a nord ovest, quello di Luisa a nord est.

Non si erano scambiati indirizzo o numero di telefono. Fino al momento di separarsi, però, non avevano mai smesso di tenersi per mano.

La televisione era spenta ormai da un pezzo. Fuori dalla finestra ronzava il silenzio della notte in città. Paolo non avrebbe saputo dire quando fu che decise di alzarsi dal divano e andare al telefono in ingresso. Semplicemente, si ritrovò a comporre il numero del servizio abbonati, dopo aver verificato sull'avantielenco che sì, era in funzione ventiquattr'ore su ventiquattro.

Luisa gli aveva detto il proprio cognome e anche come si chiamava la frazione del paesino in cui viveva. Paolo comunicò questi dati alla gentile signorina al di là del filo.

Dopo una breve attesa, gli fu dettato un prefisso e un numero telefonico. Paolo li trascrisse sul bloc-notes che pendeva da una cordicella sul muro insieme a una penna a sfera. Ringraziò. Riattaccò. Strappò il foglietto.

Com'è stato facile.

Ci mise tre giorni a decidersi.

Ogni volta che stava per chiamarla si diceva: *No, ora sta facendo da mangiare. Ora neanche, lavorerà nei campi. Ora forse riposa, non vorrei disturbare. Ora è domenica, sicuramente è a messa. Cosa vado a darle noia e poi, perché? Con tutto quello che ha da fare.*

Quando finalmente trovò il coraggio, gli rispose quella voce che gli pareva da sempre conosciuta: "Pronto?"

Lui trattenne il respiro per un istante prima di riuscire a parlare.

“Luisa.”

“No, sono Anna. La figlia.” Doveva aver messo una mano sulla cornetta perché il grido si sentì ovattato. “Mamma, per te!”

Una pausa, poi: “Non lo so. Uno.”

Il brusìo della cornetta che passava di mano.

“Pronto...”

“Luisa.”

“Chi parla?”

“Sono Paolo.”

Un mezzo grido: “Paolo! Ah, meno male!”

Quel “meno male” non se l’aspettava. Gli procurò una leggerezza improvvisa.

“Quanto ti ho cercato!” continuò Luisa. “Sono andata pure alla SIP per trovare il tuo numero. Ma lì siete in cinquanta con lo stesso nome...”

Paolo non se ne accorgeva, ma aveva la faccia spaccata in due da un sorriso.

“Nel tuo paese invece sei tu, l’unica Luisa.”

“Dove hanno mandato tuo figlio?”

“Bad’e Carros. Tuo marito?”

“Porto Azzurro.”

Tacquero. Si ascoltarono a vicenda il respiro. Il silenzio era quello che ricordavano: non di imbarazzo ma di conforto.

“Senti” disse poi lei. “È da giorni che voglio dirti una cosa. L’ho capita!”

“Cosa?”

“La battuta della marchesa.”

“Quella degli specchi?”

“Sì. Ci ho pensato tanto, sai. Non riuscivo a smettere di pensarci perché non la capivo. E poi qualche giorno fa, mentre stavo cucendo, l’ho capita. Io continuavo a pensare che diceva ‘Mi sono vista brutta’. Per forza non mi faceva ridere! E invece no: ‘*Me la* sono vista brutta’, dice. Che stupida!”

“Te l’ho già detto. Tu non sei stupida.”

“No, non io.” Le era venuta come un’allegria nella voce. “La battuta. La battuta è stupida.”

“Ah sì. Questo è vero. È proprio stupidissima.”

Luisa tirò fuori l’aria dal naso e cominciò a ridacchiare.

“La più stupida che abbia mai sentito.”

Anche a Paolo stava salendo come un solletico in gola.

“E neanche tanto divertente.”

“Infatti. Non fa mica ridere.”

“No. Per niente...”

E invece loro due ridevano, ridevano a pancia molla, ridevano facendo rumore. Ridevano come vecchi sposi che insieme hanno cresciuto i figli e visto i nipoti diventare ragazzi. Ridevano come fossero certi di svegliarsi l’indomani nel letto dove avevano dormito abbracciati per cinquant’anni, il petto folto di peli bianchi di lui aderente alle spalle di lei, ormai punteggiate di macchie ma amate come quando erano lisce come la seta. Ridevano come un uomo e una donna ai quali, quando si guardano negli occhi, scorrono davanti gli anni, i mesi, i giorni, le ore che hanno condiviso.

***

Durante tutto il resto della sua vita, ogni volta che Paolo ripensò a quell'ultima risata insieme a Luisa, sentì sempre un prurito salirgli in gola, un'insensata ilarità senza motivo. E poi subito, ogni volta, gli veniva in mente un altro ricordo, come se quello e l'incontro con Luisa fossero due stelle gemelle: non poteva puntare il telescopio della memoria su di una senza che apparisse anche l'altra.

Era un episodio dell'infanzia del figlio, a Framura. Lui e il bambino stavano esplorando un tunnel dismesso della vecchia linea ferroviaria che correva lungo la costa. Oltre il piccolo cerchio di luce della torcia, il buio era totale. Erano già molto distanti dall'entrata e non avevano idea di quanto lontana fosse l'uscita. Avanzavano incespicando. Il figlio – avrà avuto otto anni – teneva strette tre dita di Paolo avvolgendole con il palmo della piccola mano. Per scrollarsi di dosso la paura, avevano cominciato a gridare.

"Cucù!" urlava il figlio.

"Tataaaà!" urlava il padre.

E la stretta volta della galleria, invisibile in tutto quel nero, rispondeva con la sua eco.

D'un tratto, davanti a loro, distinsero un chiarore vago. Non aveva l'inconfondibile sagoma ad arco acuto che indicava le estremità del tunnel. Man mano che si avvicinavano, il bagliore diventò sempre più forte finché arrivarono alla sua fonte: un'apertura sulla fiancata destra della galleria, quella verso la costa. Era ostruita da pietre e detriti, ma facendosi largo con mani e ginocchia riuscirono a sbucare fuori.

Era una giornata di sole e rimasero qualche istante immobili, accecati dalla luce piena, a schermarsi gli occhi. Quando si tolsero le dita dalla faccia, videro dov'erano finiti: una piazzola precaria, piena di sterpi e pietraglia, a strapiombo sul mare.

A precipizio sotto di loro, le onde rimbombavano sorde mentre sbattevano contro la muraglia di cemento che rinforzava la massicciata della vecchia ferrovia. Ancora un passo e sarebbero caduti in quel ribollire bianco a decine di metri sotto di loro. Il padre però teneva il figlio stretto per le spalle, il figlio si appoggiava al corpo del padre. Guardarono a lungo la spuma del mare che percuoteva la scogliera ai loro piedi. Nessuno dei due provava paura.

Né il padre né il figlio sapevano quanto fosse ancora lunga la galleria. Per tornare a casa sarebbero dovuti rientrarci e riprendere ad avanzare quasi alla cieca. Ma adesso erano in pausa dal buio. Ora erano lì, in quella luce, in quel vento, alti sul mare.

E ogni volta che Paolo ripensava a quell'istante, negli anni a venire, anche se sapeva che era solo un accavallarsi della memoria, risentiva la voce del suo bambino che pronunciava le parole che in realtà, molti anni dopo, avrebbe detto Luisa: "Sembra latte. Anzi, panna. Anzi no, sembra schiuma di birra."

TRENT'ANNI DOPO

Già prima della chiusura del carcere di massima sicurezza dopo la rivolta, l'agente di custodia Nitti Pierfrancesco fece richiesta all'amministrazione penitenziaria di essere assegnato a mansioni di ufficio per motivi di salute.

La richiesta fu respinta. L'anno dopo, Nitti subì un intervento chirurgico per ulcere nello stomaco, una delle quali perforante. Al ritorno dalla convalescenza ripresentò la richiesta. Questa volta fu accolta.

Da quando è andato in pensione, vive con la moglie in una casa al di là dello Stretto. Dalle finestre del tinello si vede l'Isola. Le strutture carcerarie sono state dismesse e ora è parco naturale. Tra pochi mesi lui e Maria Caterina diventeranno nonni per la terza volta.

Sei anni dopo la visita all'Isola, il marito di Luisa morì d'infarto nel carcere di Fossombrone.

Da qualche anno, Luisa ha una relazione con un amico d'infanzia rimasto vedovo: ogni venerdì sera lui la porta a ballare poi si ferma a dormire a casa sua. Le ha chiesto più volte di sposarlo ma lei non è interessata.

Luisa non ha più animali. Ora, come tutti in paese, produce mele. Ha cambiato molti portafogli, l'ultimo glielo ha regalato a Natale uno dei suoi nove nipoti (ha anche un bisnipote). Nella tasca più interna c'è un ritaglio di giornale di trent'anni fa, ingiallito e tenuto insieme con lo scotch perché non si sfaldi.

Il figlio di Paolo, dopo avere scontato sedici anni di carcere e otto di semilibertà, è stato tra i fondatori di una cooperativa per il reinserimento sociale e lavorativo degli ex detenuti. Cura anche la catalogazione dei circa ottomila volumi del padre, che nel suo testamento ha già predisposto di lasciarli alla biblioteca del carcere cittadino.

Molti anni dopo l'arresto, i processi e le condanne definitive, quando era ancora in prigione, ha scritto in forma privata ai familiari delle sue vittime, tra cui la bambina – ormai adulta – della foto. Nonostante gli sia stato proposto da vari giornalisti e testate, né in quell'occasione né in seguito ha mai rilasciato interviste.

Padre e figlio vivono insieme.

RINGRAZIAMENTI

Ogni storia ha i suoi amici. Il primo è stato Giovanni Fasanella, con la sua inarrivabile competenza sui cosiddetti "anni di piombo". Poi ci sono stati Riccardo Dello Sbarba, Silvana Gandolfi, Marco Vigevani e Claire Sabatié-Garat. E, come sempre, come in tutto, Carlo.

Per scrivere questo libro ho raccolto le testimonianze di tante persone: ex guardie carcerarie, ex terroristi, ex detenuti di carceri di massima sicurezza, magistrati, parenti di vittime della violenza politica.

Alcuni hanno nomi conosciuti a chi ha seguito le cronache di quella stagione, la maggior parte no; tutti ne portano ancora dolorose, indelebili tracce.

Provo enorme gratitudine per la fiducia con cui mi hanno narrato episodi anche molto difficili da ricordare. Preferisco però non nominarli – loro sanno chi sono.

Non solo perché nessuno dei personaggi corrisponde a persone realmente esistite; non solo perché le vicende narrate sono frutto unicamente di una rielaborazione immaginaria di quell'epoca; ma soprattutto perché sia chiaro che la responsabilità di eventuali inesattezze e imprecisioni, nonché delle opinioni che qui sono contenute, è solo mia.

INDICE

Manufactured by Amazon.ca
Acheson, AB